E se... Deus tiver outros planos?

E se... Deus tiver outros planos?

Encontre esperança quando a vida não sai como o esperado

CHARLES R. SWINDOLL

Traduzido por Claudia Santana Martins

Copyright © 2019 por Charles R. Swindoll
Publicado originalmente por Tyndale House Publishers, Inc., Carol Stream, Illinois, EUA.

Os textos bíblicos foram extraídos da *Nova Versão Transformadora* (NVT), da Tyndale House Foundation, salvo as seguintes indicações: *Nova Versão Internacional* (NVI), da Biblica, Inc.; e *A Mensagem* (MSG), de Eugene H. Peterson, da Editora Vida.

Todos os direitos reservados e protegidos pela Lei 9.610, de 19/02/1998.

É expressamente proibida a reprodução total ou parcial deste livro, por quaisquer meios (eletrônicos, mecânicos, fotográficos, gravação e outros), sem prévia autorização, por escrito, da editora.

CIP-Brasil. Catalogação na publicação
Sindicato Nacional dos Editores de Livros, RJ

S98s

    Swindoll, Charles R.
      E se... Deus tiver outros planos? : encontre esperança quando a vida não sai como o esperado / Charles R. Swindoll ; tradução Claudia Santana Martins. - 1. ed. - São Paulo : Mundo Cristão, 2023.
      224 p.

      Tradução de: What if... God has other plans?
      ISBN 978-65-5988-188-8

      1. Expectativa (Psicologia) - Aspectos religiosos - Cristianismo. 2. Vida espiritual. I. Martins, Claudia Santana. II. Título.

22-81084   CDD: 248.86
                                        CDU: 159.947

Gabriela Faray Ferreira Lopes - Bibliotecária - CRB-7/6643

Categoria: Inspiração
1ª edição: abril de 2023 | 1ª reimpressão: 2023

Edição
Daniel Faria

Revisão
Natália Custódio

Produção
Felipe Marques

Diagramação
Marina Timm

Colaboração
Ana Luiza Ferreira

Capa
Douglas Lucas

Publicado no Brasil com todos os direitos reservados por:
Editora Mundo Cristão
Rua Antônio Carlos Tacconi, 69
São Paulo, SP, Brasil
CEP 04810-020
Telefone: (11) 2127-4147
www.mundocristao.com.br

Tenho tido durante muitos anos o prazer de servir no ministério ao lado de dois colegas muito talentosos e profundamente dedicados. Eles se tornaram parceiros confiáveis, bem como amigos íntimos, ao servirmos na equipe de liderança da Stonebriar Community Church, "a tempo e fora de tempo". Em consequência disso, amo muito esses homens e encontro grande alegria em nossa amizade. Graças ao modo como o Senhor uniu nossos corações, dedico este livro a eles e suas esposas:
Charlton e Ginger Hiott
Don e Mary McMinn

Sumário

Introdução — 9

1. E se... *Deus escolher você para fazer algo importante?* — 11
2. E se... *você perder tudo de repente?* — 32
3. E se... *um velho amigo o trair?* — 52
4. E se... *você precisar chamar alguém à responsabilidade?* — 70
5. E se... *alguém o chutar quando você estiver caído?* — 90
6. E se... *você precisar de uma segunda chance?* — 106
7. E se... *você lutar contra uma deficiência?* — 128
8. E se... *alguém for um encrenqueiro incorrigível?* — 145
9. E se... *seu patrão for injusto e desrespeitoso?* — 162
10. E se... *alguém estiver espreitando você?* — 181
11. E se... *você morresse esta noite?* — 199

Guia de discussão — 217
Notas — 221

Introdução

Questões relevantes sempre me fascinaram. Muitos anos atrás, aprendi que é melhor fazer as perguntas certas do que agir como se soubesse todas as respostas certas. Perguntas nos fazem pesquisar mais, pensar mais e sondar mais fundo. Elas nos escoltam através de portas da mente que permaneceram fechadas por muito tempo, exortando-nos a lidar com problemas vitais que muitas vezes nos são incômodos, mas que raramente são tratados.

Vários anos atrás, decidi colocar tudo isso em teste. Elaborei onze perguntas específicas sobre questões difíceis que todos nós precisamos enfrentar de uma ou de outra forma. Cada pergunta começava com as mesmas duas palavras: "E se...?". Então recorri às Escrituras para encontrar respostas que fossem confiáveis, compreensíveis e factíveis. De modo nada surpreendente, a Bíblia tinha respostas úteis para todas as perguntas.

Minha pesquisa levou a uma série de sermões que fiz para nossa congregação na igreja em que sirvo como pastor sênior, a Stonebriar Community Church, em Frisco, Texas. Muitas pessoas em nossa igreja me encorajaram a transformar a série em um livro, então aqui está ele para que você possa lê-lo, refletir sobre ele e aplicá-lo.

Expresso minha gratidão a meus amigos da editora Tyndale. Sou também grato a Mark Tobey, que mais uma vez trabalhou como meu aplicado editor, garantindo que tudo fluísse harmoniosamente. Agradeço também a vocês que escolheram ler o que escrevi. Que este livro possa lembrá-los de fazer perguntas importantes e buscar respostas bíblicas confiáveis.

Chuck Swindoll
Frisco, Texas

1
E se...
Deus escolher você para fazer algo importante?

....

A Palavra de Deus para quando você se sente inadequado

Amy nunca teria sonhado que Deus pudesse escolhê-la para fazer algo importante. A moça tímida, a mais velha de sete irmãos, cresceu na bela Irlanda do Norte, mas não sem dificuldades. Ela e os irmãos mais novos perderam o pai quando eram pequenos, o que deixou a família em situação de pobreza. Ela acabou sendo adotada por outra família que possuía meios para vesti-la e alimentá-la.

Ela se via como "uma menina pequena, feia e tímida". Na verdade, sentia-se tão sem atrativos enquanto estava crescendo que evitava que tirassem fotografias dela. Na adolescência, foi diagnosticada com uma doença degenerativa dos nervos que a acompanhou pelo resto da vida. Ao final, essa doença levou a uma séria luta contra a artrite, uma batalha que ela travaria até o fim da vida.

Então algo aconteceu que mudou toda a vida dela. Aos vinte anos, Amy estava assistindo a uma convenção evangélica em Keswick, na Inglaterra, ouvindo um homem chamado Hudson Taylor compartilhar a história de seu trabalho missionário na China. O ano era 1888. O grande missionário e estadista contou o que Deus vinha fazendo na China e o que previa que Deus faria no futuro. Mencionou diversas vezes como Deus havia sido bom por tê-lo escolhido, entre todas as pessoas, em meio aos excluídos da Inglaterra. Pela graça de Deus, ele havia aprendido outra língua e se inserido em uma cultura muito diferente da sua própria.

Amy ficou ali pensando: "E se Deus pudesse me usar para fazer algo desse tipo?". E, a partir desse momento, Deus começou a fazer algo importante por meio da moça irlandesa tímida e reservada.

Depois de uma sucessão de acontecimentos soberanamente orquestrados pelo Deus misericordioso, Amy acabou na extremidade sul da Índia, a poucos quilômetros do oceano. Passou os 56 anos anos seguintes como missionária naquele local distante. Sua vocação era dedicar-se à vida de meninos e meninas apanhados nas garras do tráfico humano. Eles eram vítimas de um terrível comércio escravo que destruía a vida de crianças inocentes, que não suspeitavam de nada.

Naquele tempo, o tráfico se dava sob o disfarce da religião. Jovens eram forçadas a "servir" os sacerdotes hindus e aqueles que tomavam parte no culto com eles. Seu corpo era usado e, nesse processo, seu espírito se abatia. Rapazes e moças se tornavam vítimas indefesas. Amy sentiu compaixão por aquelas pequenas vidas destroçadas, e passou os anos que lhe restavam tentando oferecer a elas o amor de Cristo enquanto as libertava da prostituição.

Antes de morrer, Amy resgatou e serviu mais de mil vítimas. Essa mulher irlandesa era Amy Carmichael, que acabou publicando 35 livros. A seu pedido, nenhum deles saiu em seu nome. A propósito, antes de morrer, ela assegurou que seu nome nunca fosse gravado em granito. Em vez disso, as crianças que ela havia resgatado, agora adultas, colocaram um bebedouro para pássaros sobre seu túmulo, que permanece sem inscrição até hoje. Parece adequado: um túmulo sem inscrição sobre uma mulher que era praticamente desconhecida em seu tempo. Isto é, até que suas palavras fossem lidas e se descobrisse que elas estavam repletas de afirmações profundamente impactantes.

> *Da oração que suplica por abrigo*
> *Dos ventos que te açoitam, do perigo*
> *De ter medo quando devo aspirar,*
> *De vacilar quando devo escalar,*
> *E deste eu de seda, delicado,*
> *Ó Capitão, livra o leal soldado.*
>
> *Do amor ao brando que é dissimulado,*
> *De escolhas fáceis que nos enfraquecem,*
> *E que os espíritos não fortalecem,*
> *É outro o rumo do Crucificado,*
> *De tudo o que ofusca o Calvário assim,*
> *Ó Cordeiro de Deus, livra-me enfim.*
>
> *Dá-me o amor que ajuda a prosseguir,*
> *A fé que nada pode destruir,*
> *A esperança que nada mais refreia,*
> *A paixão que como o fogo incendeia,*
> *Não deixes que me transforme em torrão:*
> *Faz-me Chama de Deus em combustão.*[1]

O que torna as palavras de Amy Carmichael tão magníficas é que, se não fosse por elas, muitos que as leem se veriam como pouco mais do que "torrões" inúteis. Em algum ponto ao longo do caminho, talvez você tenha se convencido sistematicamente a não fazer algo importante que Deus possa ter desejado realizar por seu intermédio. Talvez seja porque você se sente terrivelmente inadequado ou porque lhe falte treinamento. Talvez você seja tímido e se considere absolutamente insignificante.

Você se olha no espelho e pergunta: "Como Deus poderia escolher alguém como eu? Quer dizer, seria improvável que Deus até mesmo me notasse, quanto mais que me usasse para algo importante. Eu simplesmente não tenho qualificações".

Seja sincero agora... é isso o que você diz a si mesmo? Todas as vezes que se olha no espelho, você desiste de algo importante que Deus deseja realizar? Mas *e se* Deus tiver outros planos? E se ele quiser escolher você para fazer algo importante? Você está disposto? Responderia com fé ou sairia correndo para o outro lado?

Se acha que recuaria diante de tal chamado, então bem-vindo ao clube! Você não está sozinho. Na verdade, está na companhia de um dos maiores indivíduos que Deus já escolheu para realizar tarefas importantes. O nome dele era Moisés.

Um dia... Deus intervém

Originalmente, Moisés era um candidato improvável à Galeria da Fama da Liderança. A boa notícia é que Deus não recorre à Galeria da Fama em busca de candidatos à grandeza. Muitas vezes Deus começa com os perdedores. Fracassados. Aqueles com vidas destroçadas e espíritos alquebrados. Era onde Moisés se encontrava no dia em que ficou sabendo do plano de Deus de usá-lo para libertar seu povo, os hebreus, do cativeiro no Egito.

Assim que recebeu o chamado de Deus, Moisés arregaçou as mangas e pôs mãos à obra. Essa cena nos está descrita em Êxodo, o livro do Antigo Testamento que narra a história épica da libertação divina. Viaje comigo de volta ao Egito, onde Moisés cresceu como filho adotado da filha do faraó.

Ele tem quarenta anos de idade quando a história se desenrola em Êxodo 2:

> Anos depois, já adulto, Moisés foi visitar seu povo e descobriu que eles eram forçados a realizar trabalhos pesados. Durante sua visita, viu um egípcio espancar um hebreu, um homem de seu povo. Olhou para todos os lados e, não avistando ninguém por perto, matou o egípcio. Em seguida, escondeu o corpo na areia.
>
> Êxodo 2.11-12

Esse é Moisés em ação, em carne e osso. Fazendo justiça com as próprias mãos, ele se adianta a Deus e cria confusão em toda parte. Para piorar a situação, comete um assassinato. Quando chega aos ouvidos do faraó a notícia do que ele fez, torna-se um fugitivo no deserto de Midiã.

A história continua com Moisés, um homem culpado, destroçado, sentado junto a um poço no deserto. Lá ele encontra uma jovem que o leva para sua casa. Acaba se casando com uma das filhas do sacerdote de Midiã. Passa os quarenta anos seguintes cuidando das ovelhas do sogro, na obscuridade e no esquecimento, vivendo como pastor beduíno.

Agora Moisés já está com oitenta anos. Vê a si mesmo como acabado, e jamais imaginaria que Deus ainda tivesse um plano para sua vida. Lá está ele, um homem velho, de pele curtida, confinado ao deserto remoto de Midiã, um lugar árido, macabro. Sem dúvida ele está convencido de que o deserto será seu túmulo. Não há nada de importante em seu futuro. Até que *um dia...*

Naquele dia histórico, tudo muda para Moisés. O dia se inicia como qualquer outro. Moisés retoma a rotina monótona, como quando você se senta diante do computador ou vai para o trabalho. Ou quando você está subindo os degraus para entrar na escola. Ou quando está preparando o jantar para a família. Ou quando está embarcando em um avião para a próxima conexão em uma viagem de negócios. De novo a mesma canção, pela quadragésima primeira vez. Até que um dia... Deus entra em cena.

Este é um bom momento para eu fazer uma pausa e indicar três erros comuns que as pessoas cometem quando tentam decidir as coisas por conta própria, como fez Moisés quando era um príncipe orgulhoso no Egito.

Corremos antes de sermos enviados

Por vezes deixamos que a intensidade de nossa visão nos empurre prematuramente a cumprir nossos planos. Moisés sentiu necessidade de agir e iniciar o processo de libertar o povo de Deus da opressão. Entretanto, não era isso o que Deus o estava mandando fazer. Ele correu antes de ser enviado. O resultado foi um ato impulsivo que levou a um desastre colossal.

Recuamos depois de termos falhado

Uma vez que pomos tudo a perder, nossa tendência é recuar. Começamos a lamber as feridas. Sabemos que nos metemos numa encrenca, então nossa insegurança explode. Em nossa insegurança, batemos em retirada. É nesses momentos que passamos a duvidar de que Deus possa nos usar novamente. Ou melhor: nós nos convencemos de que ele não o fará. Quer você tenha cumprido uma sentença na prisão, passado por um divórcio ou cometido um ato de infelidade no casamento, a vergonha pode levá-lo a acreditar que a possibilidade de Deus o utilizar acabou. Independentemente dos motivos de sua insegurança, ela pode levá-lo a recuar depois que você houver falhado.

Resistimos quando somos chamados

Como no caso de Moisés, Deus tem um jeito de intervir e nos surpreender. Em sua graça, ele decide nos usar mesmo depois que falhamos. Talvez Deus se dirija a você no momento em que você mais se sinta despreparado ou absolutamente inadequado. Talvez você se sinta assim devido à idade — você é muito jovem ou velho demais. Ou talvez lute contra uma deficiência física, contra a depressão ou tenha tido no passado um período sombrio do qual se envergonhe. Você faria qualquer coisa para que isso não fosse revelado. Seja qual for a causa, esses sentimentos de inferioridade bloqueiam sua capacidade de escutar a voz de Deus. Então você resiste por causa da inferioridade.

Moisés ficou estagnado no deserto durante quarenta anos, cuidando do mesmo rebanho de ovelhas fedorentas. Sua pele ficou queimada de sol, calejada pelo vento e curtida pelos golpes contínuos da areia do deserto. Sua atitude combinava com a rudeza exterior da fronte castigada pelo sol. Sozinho, derrotado, esquecido, já no fim da vida. Um velho de oitenta anos.

Apesar disso, é quando sua verdadeira história se inicia...

Como mencionei anteriormente, era um dia como qualquer outro. Não houve nenhuma inscrição dos anjos no céu: "Preste atenção, Moisés! Deus vai aparecer e falar hoje. Cuidado com arbustos incandescentes — Deus está nas chamas!". Não, nada disso. Moisés não foi avisado na noite anterior em um sonho. Ao contrário, o sol nasceu naquela manhã da mesma forma como havia nascido nos últimos quarenta anos de sua vida no deserto. Outro nascer do sol, outra rajada quente do vento abrasante do deserto. Então, de repente, aconteceu algo que lhe chamou a atenção:

> Certo dia, Moisés estava cuidando do rebanho de seu sogro, Jetro, sacerdote de Midiã. Ele levou o rebanho para o deserto e chegou ao Sinai, o monte de Deus. Ali, o anjo do Senhor lhe apareceu no fogo que ardia no meio de um arbusto. Moisés olhou admirado, pois embora o arbusto estivesse envolto em chamas, o fogo não o consumia. "Que coisa espantosa!", pensou ele. "Por que o fogo não consome o arbusto? Preciso ver isso de perto."
>
> Êxodo 3.1-3

Naquele instante inesperado, Deus surgiu. É assim que acontece. Deus não faz anúncios prévios. Ele não nos grita de algum pináculo divino. Ele usa momentos cotidianos para dizer, na verdade: "Ei! Você está aí? Está escutando?". Esse é o seu estilo.

Território desconhecido

No deserto, arbustos frequentemente se incendeiam ao calor do sol intenso. É provável que Moisés houvesse testemunhado esse fenômeno impressionante muitas vezes. Mas dessa vez foi diferente. Esse arbusto em particular continuava queimando, mas não se *consumia*. Foi o que chamou a atenção de Moisés. Ele foi inspecionar a situação.

Uma vez que Deus capturou a atenção de Moisés, ele falou. Há momentos em que Deus quer provocar nossa curiosidade, então nos dá um susto para sairmos da rotina. A rotina é um inimigo insidioso. Caímos na monotonia mental, como quem tropeça em um túmulo aberto. E nessa rotina que entorpece a mente, deixamos de escutar o chamado de Deus. Nesses momentos, ele muitas vezes nos sacode para que saiamos da confusão mental, e assim captura nossa atenção. Só aí despertamos e escutamos.

Moisés iria ter uma grande surpresa. Escutou seu nome: "Moisés! Moisés!". A voz vinha do arbusto ardente.

> Quando o SENHOR viu Moisés se aproximar para observar melhor, Deus o chamou do meio do arbusto: "Moisés! Moisés!".
> "Aqui estou!", respondeu ele.
>
> Êxodo 3.4

Espere um pouco! Moisés atendeu ao chamado sem ter a menor ideia de quem o estava chamando.

Agora está na hora de uma breve lição de hebraico. Depois que Deus chamou Moisés pelo nome, Moisés respondeu dizendo: "Aqui estou!". Mas em hebraico há um detalhe que se perde um pouco na tradução. Moisés disse *"Hineni!"*, uma expressão hebraica que significa "Sou eu!".

Em outras palavras, Moisés deve ter ficado muito espantado ao escutar seu nome vindo de um arbusto em chamas! Consegue imaginar? Durante décadas Moisés vinha servindo o sogro em quase total anonimato, tendo deixado para trás havia muito tempo o prestígio e a fama da vida na realeza no Egito. Era um homem que fora esquecido. De repente, do nada, escutou seu nome. Na parte mais remota da vastidão do deserto, uma voz audível pronunciou seu nome.

Muitas vezes é assim que Deus age. É assim que ele chama as pessoas a períodos de grande impacto.

Tudo acontece *um dia*... quando você menos espera. Quando mais se sente despreparado e totalmente mal equipado para lidar com isso. É então que ele chama o seu nome. Nunca se esqueça disso!

Não creio que Deus fale em voz alta hoje — pelo menos não habitualmente. Porém no tempo de Moisés, pelo fato de a Bíblia não estar completa, Deus falava a seus servos em sonhos ou pela aparição de anjos — ou, como neste caso, de modo sobrenatural, por meio de um objeto da natureza (ver Hb 1.1).

Hoje em dia talvez Deus lhe traga à mente algo que você aprendeu nas Escrituras. Ou talvez lhe fale por meio de um mentor, um amigo fiel ou um parente. Ou talvez você escute a voz dele por meio de um sermão empolgante ou mesmo por meio da letra de um cântico. Sem dúvida ele se revela na tranquilidade do tempo que você passa a sós com ele ao ler e estudar as Escrituras e orar. Seja como for, ele ainda fala. E, nesses instantes, ele revela os planos de que você faça algo importante.

Deus interrompeu a jornada de Moisés, capturou sua atenção por meio de um acontecimento sobrenatural e então lhe revelou seus planos. Talvez o coração de Moisés tenha acelerado um pouco, porque a mensagem dizia respeito aos hebreus, que ainda estavam em cativeiro no Egito. No entanto, Moisés não estava preparado para o que escutou a seguir daquele mesmo arbusto:

> Sim, o clamor do povo de Israel chegou até mim, e eu tenho visto como os egípcios os tratam cruelmente. Agora vá, pois eu o envio ao faraó. Você deve tirar meu povo, Israel, do Egito.
>
> Êxodo 3.9-10

Ora, se você examinar com cuidado o versículo 10, verá marcas de freada na margem (na verdade, elas só aparecem no original!). De repente, Moisés percebeu que Deus estava falando sobre *ele*. Deus tinha Moisés em mente para executar esse grande plano de libertar Israel do cativeiro. Estava escolhendo-o para conduzir seu povo à libertação. O que se seguiu foi um exemplo clássico de resistência por um servo relutante. Lembre-se: resistimos quando somos chamados... devido à inferioridade.

Anatomia da resistência

A resistência vem de nossa crença de que conhecemos a situação melhor do que Deus. Ficamos felizes quando Deus cuida das situações para nós. Simplesmente não queremos ser seu instrumento principal. Por quê? Porque achamos que sabemos melhor do que ele o que é necessário para a missão. Preste muita atenção: os melhores dez anos de sua vida ainda podem estar esperando por você, mas talvez você já tenha começado a tentar se convencer de que deve desistir do que Deus planejou para sua vida. Como Moisés, você armou uma resistência deliberada contra o desejo claramente expresso de Deus para você e sua família.

Se você se identifica com essa descrição, sei exatamente como se sente. Eu era o candidato menos provável que se possa imaginar para fazer algo por Deus. Não era bom aluno nem atleta quando criança. Não tive nenhum destaque no ensino médio. Com certeza não me distingui como herói durante os anos entre os Fuzileiros Navais. Era só mais um fuzileiro. Entretanto, de um arbusto veio uma voz me chamando ao ministério. Minha primeira reação foi: "Já ouvi isso antes — mas de minha esposa, não de ti, Senhor. Ela insistiu que eu me dedicasse ao ministério, mas resisti". (Não me achava qualificado, e minha inferioridade despertou a resistência.)

Com muita frequência, quando Deus nos escolhe para fazer algo importante, nossa reação inicial é resistir. Lutar contra o plano de Deus. Duvidar de nossa preparação e competência. Moisés não foi exceção. Respondeu com as quatro desculpas comuns para resistir ao claro chamado de Deus.

Não tenho todas as respostas

Moisés temia não ser capaz de responder às inevitáveis perguntas que viriam dos companheiros israelitas:

> Moisés disse a Deus: "Se eu for aos israelitas e lhes disser: 'O Deus de seus antepassados me enviou a vocês', eles perguntarão: 'Qual é o nome dele?'. O que devo dizer?".
>
> Êxodo 3.13

A primeira desculpa comum para resistir ao chamado de Deus é que não temos todas as respostas. Moisés protestou contra os planos de Deus dizendo: "Eles vão me fazer perguntas cuja resposta não sei. Vou lidar com assuntos muito acima da minha capacidade! Lembra que eu só venho falando com ovelhas nesses últimos quarenta anos!".

A natureza humana tenta nos convencer de que, a não ser que tenhamos todas as respostas, simplesmente não podemos crer no plano de Deus para nós. A essa altura, Moisés se considerava o fator mais importante na equação. Tudo girava em torno *dele*. Isso está no centro dessa resistência. Quando *você* ainda é importante para você mesmo, teme ser humilhado. Teme estragar sua reputação. Teme o que as pessoas possam dizer ou pensar. Teme ser ridicularizado. Teme a reação da família em relação ao que você acredita que Deus o esteja escolhendo para fazer. O que os colegas vão pensar? Apesar disso,

Deus não recua diante dessas reações temerosas. Sua resposta a Moisés explica o motivo:

> Moisés disse a Deus: "Se eu for aos israelitas e lhes disser: 'O Deus de seus antepassados me enviou a vocês', eles perguntarão: 'Qual é o nome dele?'. O que devo dizer?".
> Deus respondeu a Moisés: "Eu Sou O Que Sou. Diga ao povo de Israel: Eu Sou me enviou a vocês".
>
> Êxodo 3.13-14

Não é uma ótima resposta? "Eu Sou." Isso resolve a maior parte das questões. Moisés precisava entender que o chamado de Deus não tinha nada a ver com ele e tudo a ver com Deus! A única resposta de que ele precisava era o próprio Deus. Diga o nome *dele* e todas as respostas serão dadas.

Lembro-me de uma conversa que tive com meu amigo de longa data, Dr. Ron Allen, um estudioso do hebraico e professor do Antigo Testamento no Seminário Teológico de Dallas. Ele propôs uma visão muito interessante dessa passagem. Contou-me que, quando os hebreus antigos estavam representando alguém diante de outros, usavam a expressão "eu direi seu nome". Em outras palavras, em vez de dizer "eu os lembrarei de você", eles dizem "eu direi seu nome". Basicamente, é isso o que Deus estava falando para Moisés fazer. Deus disse a Moisés que tão somente dissesse o nome dele. Acho isso notável — e maravilhosamente confortador!

Quando Deus o escolhe para fazer algo importante, sua resposta não deve se referir a você mesmo ("não posso"), mas a ele ("Eu Sou!").

Essa abordagem dá coragem e confiança como nenhuma outra. Quando prego e ensino as Escrituras, não raro me sinto inadequado e indigno. Apesar disso, não me levanto para pregar domingo após domingo representando a mim mesmo. Tenho apenas uma opinião, e nem um pouco mais valiosa do que a sua ou a de qualquer outra pessoa. Mas quando falo a partir da Palavra de Deus, o Eu Sou das Escrituras é que está falando. Essa verdade confere muita confiança ao que faço e digo.

Mas Moisés ainda continuava dando desculpas para resistir. Eis a segunda desculpa que ele usou para resistir ao plano de Deus.

Não tenho todo o respeito deles

Mesmo depois da clara explicação de Deus sobre quem o estava enviando, o velho pastor relutante persistiu em sua resistência. Temia não ter o respeito do povo de Deus. A resposta de Moisés revela seu profundo senso de inadequação.

> Moisés respondeu: "E se não acreditarem em mim ou não quiserem me ouvir? E se disserem: 'O Senhor nunca lhe apareceu'?".
>
> Êxodo 4.1

Talvez você ache que Moisés já deveria ter se convencido a essa altura. Mas não se esqueça: ele tinha oitenta anos. Com certeza era difícil fazê-lo mudar de ideia. De fato, sua reação está cheia de várias declarações clássicas do tipo "e se". São o que chamo de "palavras de preocupação". O medo faz isso — perturba nossa perspectiva e faz com que pensemos no pior cenário.

Com o que Moisés estava preocupado? Estava preocupado consigo mesmo, e estava preocupado com o que os israelitas pensariam dele. Esse é um problema de autoimagem. O medo mantém o foco em nós mesmos em vez de no Senhor. Enfatiza nossas inadequações e minimiza o poder de Deus. Não é de admirar que Deus tenha respondido com demonstrações múltiplas de seu poder:

> Então o Senhor lhe perguntou: "O que você tem na mão?".
> "Uma vara", respondeu Moisés.
> "Jogue-a no chão", disse o Senhor. Moisés jogou a vara no chão, e ela se transformou numa serpente. Moisés fugia dela, mas o Senhor lhe disse: "Estenda a mão e pegue-a pela cauda". Moisés estendeu a mão e pegou a serpente, e ela voltou a ser uma vara.
> Então o Senhor lhe disse: "Faça esse sinal e eles acreditarão que o Senhor, o Deus de seus antepassados, o Deus de Abraão, o Deus de Isaque e o Deus de Jacó, de fato lhe apareceu".
> O Senhor também disse a Moisés: "Agora, coloque a mão dentro do seu manto". Moisés colocou a mão dentro do manto e, quando a tirou, ela estava com lepra, branca como neve. "Coloque a mão dentro do manto outra vez", disse o Senhor. Moisés colocou a mão dentro do manto outra vez e, quando a tirou, ela estava tão saudável quanto o resto do corpo.
> Disse ainda: "Se eles não acreditarem em você e não se deixarem convencer pelo primeiro sinal, serão convencidos pelo segundo. E, se não acreditarem em você nem o ouvirem depois desses dois sinais, tire um pouco de água do rio Nilo e derrame-a sobre a terra seca. Quando o fizer, a água do Nilo se transformará em sangue na terra".
>
> Êxodo 4.2-9

Por que Deus fez toda essa complicada demonstração? Para convencer Moisés de que tudo o que ele precisava fazer era o que lhe era pedido.

A resposta do Senhor foi: "Apenas vá, Moisés. Pegue o cajado, recue e observe-me agir. Não se preocupe. Você terá todo o meu poder".

Deus fala a mesma verdade a você também. Especialmente quando escolhe você para fazer algo importante. Ele não só fornece um plano claro, mas também o poder ilimitado de realizar o que ele pede.

Surpreendentemente, depois disso Moisés apresentou outra objeção.

Não tenho toda a capacidade necessária

Ainda não convencido, Moisés levantou outra preocupação com o plano do Senhor, suplicando: "Ó Senhor, não tenho facilidade para falar, nem antes, nem agora que falaste com teu servo! Não consigo me expressar e me atrapalho com as palavras" (Êx 4.10).

Moisés usou uma tática clássica de resistência: "Não tenho toda a capacidade necessária". Aparentemente Moisés gaguejava, e ficava muito envergonhado com isso. Essa deficiência se tornava um problema em sua cabeça quando considerava o plano de Deus, que consistia principalmente em falar em público. Repare na resposta de Deus:

> O Senhor perguntou a Moisés: "Quem forma a boca do ser humano? Quem torna o homem mudo ou surdo? Quem o torna cego ou o faz ver? Por acaso não sou eu, o Senhor? Agora vá! Eu estarei com você quando falar e o instruirei a respeito do que deve dizer".
> Êxodo 4.11-12

A resposta de Deus desmantelou completamente a base do temor de Moisés: *Eu o fiz assim*. Deus lembrou a Moisés que havia sido ele que decidira tudo a respeito de Moisés, até mesmo suas aparentes deficiências, o que deixou Moisés sem desculpas.

Tantas pessoas que conheço enfrentam dificuldades nesse aspecto, questionando o plano de Deus para sua vida, pensando:

- Eu não sou atraente
- Eu sou baixo(a) demais
- Eu não sou muito inteligente
- Eu luto contra a depressão
- Eu tenho medo de falar em público
- Eu, eu, eu, eu...

Todas essas objeções perdem a força diante do plano soberano de Deus para nossa vida. Ele nos fez como somos, de modo a exercer o poder em nós e por meio de nós (ver Sl 139).

Leia essa última sentença outra vez. Essa verdade singular tem o poder de transformar nosso conceito de deficiência.

Estou certo de que Amy Carmichael combateu medos e pensamentos negativos semelhantes. Apesar disso, Deus a escolheu para fazer algo importante. Ele a capacitou a realizar feitos notáveis, apesar de suas limitações físicas, um dia de cada vez.

Vivenciei dias em que o mesmo aconteceu comigo — dias em que, apesar da minha falta de preparo, do meu senso de inadequação ou do meu medo do fracasso, Deus me deu capacidades além das minhas próprias. Falei verdades que nunca escrevi ou planejei dizer em meu sermão. Lembro-me de vezes em que, para cumprir uma tarefa, senti forças que não vinham de mim mesmo. Essas doses extras de energia só podiam ter vindo da capacitação dada por Deus.

Deus disse a Moisés: "Eu estarei com você quando falar e o instruirei a respeito do que deve dizer". Não é uma promessa magnífica — para Moisés e para nós?

A essa altura, Moisés estava ficando sem desculpas. Porém ainda encontrou um jeito de apresentar uma objeção final.

Não sou tão capacitado quanto outros

A resposta final de Moisés evocou a ira de Deus.

> "Por favor, Senhor!", suplicou Moisés. "Envia qualquer outra pessoa!" Então o SENHOR se irou com Moisés e lhe disse: "E quanto a seu irmão Arão, o levita? Sei que ele fala bem. Veja, ele está vindo ao seu encontro e se alegrará em vê-lo. Fale com ele e diga as palavras que ele deve transmitir. Estarei com vocês dois quando falarem e os instruirei a respeito do que devem fazer."
>
> Êxodo 4.13-15

O Senhor não precisa de nada "especial" de você ou de mim. Com certeza, não precisa de nossos conselhos. Quando ele escolhe você soberanamente para fazer algo importante, não precisa do seu conselho sobre como proceder. Moisés deixou de captar essa verdade, e nós frequentemente o fazemos também. Ficamos tão preocupados com nossas desculpas que perdemos completamente o sentido do chamado de Deus. Ele quer realizar algo importante por meio de nós fazendo algo importante *em* nós. Muitas vezes uma parte do propósito de Deus ao nos escolher é fazer com que nossa fé cresça e nossa confiança em seu poder se aprofunde.

A resposta de Moisés foi menos humilde do que desobediente. Demonstrou grande falta de fé. Quando você sabe com certeza que o Senhor está falando e você não leva a sério suas palavras, está ultrapassando um limite. Isso não é humildade; é desobediência. Na verdade, chega às raias do desafio! A única resposta apropriada ao chamado de Deus é a obediência. Essa é a lição que Moisés precisava aprender.

Deus ainda está atuando

Antes de deixar para trás essa história épica, precisamos considerar duas verdades essenciais que emergem dela. Cada uma delas, quando considerada atentamente, pode ser aplicada a qualquer situação que você esteja enfrentando.

Nunca acredite que Deus acabou de fazer grandes coisas

Essa afirmação é verdadeira tanto se você está na casa dos trinta anos quanto se já está na oitava década de vida. Aplica-se tanto se você está lutando contra a depressão quanto se está em um relacionamento difícil ou em um trabalho ingrato. É verdadeira até mesmo se você nunca viu Deus operar por seu intermédio, ou se jamais imaginou fazer o que ele está lhe pedindo para fazer! Se Deus escolheu indivíduos improváveis para realizar missões importantes no passado, ele o fará de novo hoje em dia. É seu direito soberano.

Nunca acredite que Deus acabou de fazer grandes coisas por seu intermédio

Independentemente do seu passado ou da luta do presente, Deus ainda pode escolhê-lo para fazer algo importante. Ele quer demonstrar seu poder ilimitado por meio de você e trazer glória ao nome dele nesse processo. Você precisa aceitar essa verdade a partir dessa história da vida de Moisés.

Minha própria história está entrelaçada aos versículos dessa passagem das Escrituras, o que é muito surpreendente. Eu também fui gago durante vários anos, até que um sábio professor de oratória me ajudou a superar esse obstáculo. Apesar disso, ainda sinto o temor que essa luta desperta.

A ideia de que Deus não acabou de atuar em nós traz à

mente outro trecho das Escrituras que serve como um apoio para essa lição. Essas palavras foram escritas séculos depois pelo grande apóstolo Paulo. Ao final de seus dias de ministério, ao incentivar seu jovem aprendiz, Timóteo, ele escreveu estas perspicazes palavras:

> Agradeço àquele que me deu forças, Cristo Jesus, nosso Senhor, que me considerou digno de confiança e me designou para servi-lo, embora eu fosse blasfemo, perseguidor e violento. Contudo, recebi misericórdia, porque agia por ignorância e incredulidade. O Senhor fez sua graça transbordar e me encheu da fé e do amor que vêm de Cristo Jesus.
>
> 1Timóteo 1.12-14

O arrogante, insolente, descrente e blasfemador Saulo se tornou depois o mais eficaz comunicador do evangelho de Jesus Cristo que já pisou neste planeta. Sim, Saulo de Tarso! Ele nunca sonhou que Deus o escolheria para fazer algo importante. Mas ele escolheu. O resto é história... e a história a Deus pertence!

Avanço rápido na cena

Talvez a maior lição da vida de Moisés surja quando apertamos o botão de avanço rápido na história até alguns poucos dias depois. Vejam o que acontece quando Moisés e Arão seguem o plano de Deus:

> Então Moisés e Arão voltaram ao Egito e convocaram uma reunião com todos os líderes de Israel. Arão lhes comunicou tudo que o Senhor tinha dito a Moisés, que realizou os sinais diante deles. O povo de Israel se convenceu de que o Senhor tinha

enviado Moisés e Arão. Quando ouviram que o Senhor se preocupava com eles e tinha visto seu sofrimento, prostraram-se e o adoraram.

Êxodo 4.29-31

Viram isso? O povo de Deus não discutiu. Não questionou o plano. As Escrituras dizem: "prostraram-se e o adoraram".

Quer saber o que penso? Penso que, quando a cabeça de Moisés afundou no travesseiro de palha em sua tenda naquela noite, ele finalmente entendeu por que o arbusto não parara de arder. Era o início do que Deus faria para impressionar os israelitas durante o restante da história. Tudo fazia parte do fato de que Deus o escolhera para fazer algo importante. Então, na próxima vez que você se vir perguntando: "E se eu for derrotado? E se todos os meus dias de ministério e serviço a Deus se acabaram?", é hora de mudar de pergunta e, em vez disso, indagar: "E se Deus estiver me escolhendo para fazer algo importante?".

2
E se...
você perder tudo de repente?

....

A Palavra de Deus para quando a vida se torna insuportável

A vida pode estar seguindo como sempre quando, em questão de segundos, tudo desmorona. Nesses momentos de súbita perda, a vida pode se tornar quase insuportável. Pode ser a morte de uma criança, a perda do lar ou uma doença ou ferimento debilitante. O caráter súbito de tais tragédias quase nos derruba emocionalmente. E se você perdesse tudo? O que faria? Como reagiria?

Como nação, perdemos nosso senso de segurança em um instante em 7 de dezembro de 1941, quando os japoneses bombardearam Pearl Harbor. Eu já existia então, embora fosse apenas um menino. Estava no carro com meus pais, meu irmão e minha irmã a caminho do local onde passaríamos as férias de inverno, no sul do Texas.

Ao escutar a notícia do ataque no rádio do carro, meu pai disse calmamente: "Vamos voltar agora. Não podemos sair de férias se estamos em guerra".

Tudo mudou. Eu me perguntei se voltaria a rir de novo.

De repente a vida parecia insuportável.

Em 22 de novembro de 1963, os Estados Unidos perderam de repente seu presidente, John Fitzgerald Kennedy, que foi assassinado em Dallas. Muitas pessoas de minha idade ou mais jovens se lembram de onde estavam quando aconteceu aquele trágico evento.

A maioria de nós nunca se esquecerá dos acontecimentos de 11 de setembro de 2001, quando as vidas de milhares de pessoas inocentes se perderam de súbito e, junto com elas, um pouco de nossa liberdade. Foi o dia em que terroristas atacaram as Torres Gêmeas em Nova York e o Pentágono, perto de Washington, DC. O ataque resultou na queda das Torres Gêmeas e, simultaneamente, ceifou a vida de muitas pessoas que estavam indo para o trabalho, como faziam todos os dias. Esses atos selvagens golpearam o coração do que significa ser um americano. Em um instante, tudo pareceu mudar, e nossa vida de repente se encheu de medo.

Aqueles que moravam na região de Tohoku, no Japão, perderam tudo em 11 de março de 2011, quando um intenso terremoto no fundo do oceano desencadeou um *tsunami* gigante que varreu tudo em seu caminho. Quando a onda irrompeu na costa, cidades inteiras e seus habitantes foram destruídos, e inúmeras casas, lojas, carros e ônibus se perderam. Quase um quarto de milhão de pessoas pereceu.

Mencionei apenas alguns dos vários desastres em ampla escala. Às vezes a crise se abate próxima ao nosso lar. A escala pode ser menor, mas o senso de devastação é o mesmo.

Minha esposa ainda se lembra de muitos detalhes penosos da cena que testemunhou quanto tinha quatro anos: sem poder fazer nada, ela assistiu à mãe, que segurava nos braços a irmã, ainda bebê, enquanto a pequena casa da fazenda da família, nos arredores de Tyler, Texas, era destruída por um incêndio. Tudo o que tinham foi reduzido a cinzas.

Em anos recentes, testemunhamos fortes ciclones e impressionantes enchentes que ergueram casas inteiras de seus alicerces e, ao fazê-lo, levaram embora as esperanças e sonhos de inúmeras vítimas. Como se isso não fosse o bastante, devo citar a tragédia mais cruel de todas, quando monstros entram em salas de aula cheias de crianças inocentes e provocam uma carnificina hedionda com rajadas de balas. De repente os pais ficam sem os filhos. A vida nesses momentos se torna insuportável.

E se você perdesse tudo?

É fácil responder dizendo: "Isso não vai acontecer comigo". Espere um pouco. Pare. Você não tem como saber isso. Você e eu vivemos tempo o bastante para saber que pode acontecer a qualquer momento com qualquer um de nós. Outro bombardeio, outro ataque terrorista, outra explosão, outro assassinato sem sentido, outra terrível colisão de carros — todo acontecimento pode provocar perdas incontáveis, desolação paralisante e sofrimento horrível.

Cynthia e eu conhecíamos uma família muitos anos atrás que sofreu uma tragédia desse tipo. Uma noite, o pai se despediu da família quando a esposa e os três filhos saíram de carro para irem ao ginásio de esportes. Os filhos eram ginastas treinando para uma competição.

Naquela noite, nenhum deles voltou para casa. Enquanto os minutos se transformavam em horas, ele foi ficando mais ansioso. Então escutou sirenes a distância, e um calafrio lhe percorreu a espinha. As sirenes pareciam próximas demais para que se sentisse tranquilo. Foi de carro até a colina perto de casa e viu que havia ocorrido uma colisão horrível. Os faróis dos veículos de emergência piscando o deixaram nervoso.

Depois ele descobriu que a esposa e todos os três filhos haviam morrido em uma terrível colisão frontal. Todos morreram no mesmo instante.

Chocado, desencantado e cego pela dor, ele se viu diante

de uma casa vazia e um futuro sem ninguém da família que tanto amava. De repente a vida lhe pareceu insuportável. Havia perdido tudo.

Nenhum de nós é imune à perda. Se sua vida ainda não foi tocada pela tragédia, provavelmente é apenas questão de tempo até que você se veja em uma crise de algum tipo. Neste mundo destroçado e decaído, a segurança e a proteção não estão garantidas.

Dito isso, poucos indivíduos conheceram dor súbita e perda devastadora tão intensas quanto um homem que viveu séculos atrás. Seu nome era Jó.

Um panorama das perdas trágicas de Jó

Para armar o cenário, viajemos para um tempo antigo em um lugar desconhecido. As areias do tempo apagaram a data da cena, junto com sua localização. Nem mesmo os estudiosos especializados no Antigo Testamento conseguem localizar a terra de Uz com precisão. Ainda assim, a história de Jó não pode ser esquecida:

> Havia um homem chamado Jó que vivia na terra de Uz. Ele era íntegro e correto, temia a Deus e se mantinha afastado do mal. Tinha sete filhos e três filhas. Era dono de sete mil ovelhas, três mil camelos, quinhentas juntas de bois e quinhentas jumentas. Também tinha muitos servos. Na verdade, era o homem mais rico de toda aquela região.
>
> Jó 1.1-3

Jó vivia em um lugar remoto, desfrutando tranquilamente da fartura que conquistara a duras penas em meio à afeição profundamente gratificante de uma grande família. O cenário é tão idílico que parece irreal. Nesse lugar antigo, obscuro, encontramos um homem que não tinha nenhuma pista sobre o que o futuro lhe reservava — quando, de repente, tudo mudou. Ele perdeu tudo. Sem aviso. Sem conhecimento prévio. Nem mesmo uma vozinha fraca sussurrando na noite: "Prepare-se para o amanhã, Jó. Você vai perder tudo!".

Jó era um homem notável, a quem Deus de fato havia abençoado. As Escrituras afirmam claramente: "Ele era íntegro e correto, temia a Deus e se mantinha afastado do mal" (Jó 1.1).

Jó tinha sete filhos e três filhas. Eram todos adultos, morando com a família perto de Jó e sua esposa. A vida de Jó representava o cenário ideal para um homem de idade avançada — aproveitando o fruto do trabalho honesto, o favor de Deus e o amor da família. Além disso, era rico! Se não me engano nas contas, ele possuía onze mil animais, o que indicava um nível elevado de riqueza naquela época. (A propósito, não há nada de errado aos olhos de Deus com alguém que desfrute de enorme riqueza se ela foi obtida por meios justos.)

Jó era abençoado porque Deus o abençoara por seu modo correto de viver.

Jó conduzia a família tanto financeiramente quanto na adoração, inclusive na oração intercessória (ver Jó 1.4-5). O que ele não sabia era que, simultaneamente a essa vida idílica, havia uma misteriosa conferência ocorrendo entre Deus todo-poderoso e Satanás — cujo resultado logo mudaria tudo para Jó na terra.

Leia o desenrolar dessa estranha cena celestial:

> Certo dia, os anjos vieram à presença do SENHOR, e Satanás, o acusador, veio com eles. "De onde você vem?", perguntou o SENHOR.
>
> Satanás respondeu: "Estive rodeando a terra, observando o que nela acontece".

Então o S<small>ENHOR</small> perguntou: "Você reparou em meu servo Jó? Não há ninguém na terra como ele. É homem íntegro e correto, teme a Deus e se mantém afastado do mal".

Satanás respondeu: "É verdade, mas Jó tem bons motivos para temer a Deus. Tu puseste um muro de proteção ao redor dele, de sua família e de seus bens e o abençoaste em tudo que ele faz. Vê como ele é rico! Estende tua mão e toma tudo que ele tem, e certamente ele te amaldiçoará na tua face!".

"Pois bem, você pode prová-lo", disse o S<small>ENHOR</small>. "Faça o que quiser com tudo que ele possui, mas não lhe cause nenhum dano físico." Então Satanás saiu da presença do S<small>ENHOR</small>.

Jó 1.6-12

Nessa ocasião extremamente rara nas Escrituras, somos de repente retirados da cena terrena e escoltados ao terceiro céu, onde o Senhor Deus se senta em seu trono. Trata-se, na narrativa bíblica, de uma "corte celestial", em que os anjos ("os filhos de Deus", no hebraico) se reúnem na presença de Deus.

Permita-me fazer uma pausa aqui, para lembrá-lo de um fato importantíssimo. Caso você esteja se perguntando se o Senhor conhece você, não se pergunte mais. Ele sabe exatamente onde você está (ver Sl 139). Sabe precisamente o que você está fazendo. Sabe exatamente o que você está pensando. Conhece sua situação a fundo. Conhece os parâmetros de sua vida, e supervisiona soberanamente tudo em relação a você. Nada a nosso respeito está oculto dele. Isso é verdade quanto a você e quanto a mim hoje, e era verdade quanto a Jó séculos atrás. (Esse lembrete é fornecido gratuitamente.)

Agora, de volta à fazenda de Uz. Tudo mudou para Jó em um dia.

Certo dia, quando os filhos e as filhas de Jó estavam num banquete na casa do irmão mais velho, chegou à casa de Jó um mensageiro com esta notícia: "Seus bois estavam arando, e os jumentos, pastando perto deles, quando os sabeus nos atacaram. Roubaram todos os animais e mataram todos os empregados. Só eu escapei para lhe contar".

Enquanto ele falava, outro mensageiro chegou com esta notícia: "O fogo de Deus caiu do céu e queimou suas ovelhas e todos os seus pastores. Só eu escapei para lhe contar".

Enquanto ele falava, outro mensageiro chegou com esta notícia: "Três bandos de saqueadores caldeus roubaram seus camelos e mataram seus servos. Só eu escapei para lhe contar".

Enquanto ele falava, ainda outro mensageiro chegou com esta notícia: "Seus filhos e suas filhas estavam num banquete na casa do irmão mais velho. De repente, veio do deserto um vendaval terrível e atingiu a casa de todos os lados. A casa desabou, e todos os seus filhos morreram. Só eu escapei para lhe contar".

Jó 1.13-19

Quase dá para ouvir a reação de um pai a esse cenário: "NÃO! NÃO! PARE! A perda do gado, das ovelhas e dos camelos eu posso suportar. Todas as perdas na fazenda eu posso suportar. Todas as coisas que acumulei e que agora se perderam? Sem problema. Minha capacidade de ganhar a vida se foi? Posso suportar isso. Mas perder meus filhos? Eu perdi tudo!".

É penoso imaginar essa cena.

Mas as perdas de Jó ainda não haviam terminado. A corte celestial se reuniu de novo, e o Acusador mais uma vez tomou da palavra.

Certo dia, os anjos vieram outra vez à presença do Senhor, e Satanás, o acusador, veio com eles. "De onde você vem?", perguntou o Senhor.

Satanás respondeu: "Estive rodeando a terra, observando o que nela acontece".

Então o SENHOR perguntou: "Você reparou em meu servo Jó? Não há ninguém na terra como ele. É homem íntegro e correto, teme a Deus e se mantém afastado do mal. E não perdeu sua integridade, apesar de você me ter instigado a prejudicá-lo sem motivo".

Satanás respondeu: "Pele por pele! Um homem dará tudo que tem para salvar a própria vida. Estende tua mão e tira a saúde dele, e certamente ele te amaldiçoará na tua face!".

"Pois bem", disse o SENHOR. "Faça o que quiser com ele, mas poupe-lhe a vida." Então Satanás saiu da presença do SENHOR e causou em Jó feridas terríveis, da sola dos pés ao alto da cabeça.

Jó, sentado em meio a cinzas, raspava a pele com um caco de cerâmica.

Jó 2.1-8

Satanás veio para acusar as pessoas da terra, e ficou perturbado com a fé resiliente de Jó. Apesar de todas as perdas, Jó ainda não se entregara à ira contra Deus. Preste muita atenção: quando seu coração é reto, quando suas posses não dirigem sua vida e você caminha humilde e obedientemente diante do Senhor, a perda não o deixa devastado. A perda não é suficiente para destruir sua fé. Foi o que aconteceu com Jó. Satanás sabia que Jó passara por essa rodada de testes sem perder a integridade. Apesar disso, prometeu fazer Jó amaldiçoar o Senhor ameaçando-lhe a saúde.

Acho interessante que Satanás não tenha ficado impressionado com a reação virtuosa de Jó. Satanás atua em um reino invisível, completamente afastado de tudo o que seja virtuoso. Não fica impressionado com a vida santa. Nem fica intimidado por ela. Ao contrário: fica enraivecido com ela.

Observe o limite que Deus impõe. Deus declara: "Pois bem. Faça o que quiser com ele, mas poupe-lhe a vida" (Jó 2.6).

Satanás pode ser poderoso, mas não está no comando. Deus deu a Satanás permissão para ir apenas até certo ponto em seu plano diabólico para destruir a fé que Jó tinha.

Alguém poderia pensar: "É errado que Deus permita tantas perdas!". Essa reação vem de uma mentalidade que supõe que nossa vida gira em torno de nós mesmos. Achamos que a vida está relacionada a nosso conforto, segurança, felicidade, saúde e proteção. Tristemente, para muitos crentes a vida se limita a isso. Nada poderia estar mais distante da verdade. O livro de Jó, como nenhum outro na Bíblia, abre nossos olhos para uma perspectiva completamente diferente.

Enquanto Jó sofria pela dor e vergonha das feridas que lhe cobriam todo o corpo, a esposa incentivou esse homem reto a amaldiçoar a Deus e resignar-se com a morte (ver Jó 2.9).

A propósito, recomendo cautela aos que reagem com demasiada severidade contra a esposa de Jó. Ela não é Jó; ela é a sra. Jó. Tem o direito de encarar a perda de outra perspectiva. Ela deu um conselho errado, e Jó sabia que era errado. Mas esse casal devia ter um tipo de relacionamento em que ela se sentia livre para expressar sinceramente os sentimentos. Queria que Jó obtivesse alívio. Da perspectiva dela, ele estaria melhor morto.

Será que você já não disse palavras semelhantes sobre aqueles que sofrem incessantemente e nunca obtêm alívio? É claro que sim; todos já fizemos isso. Precisamos, contudo, resistir a esse tipo de pensamento horizontal — uma perspectiva que se concentra no aqui e agora e deixa Deus fora da equação. Isso não ajuda ninguém.

Mas, por favor, lembre-se de que a esposa de Jó também havia perdido dez filhos. Para ela, também, a vida de repente se tornara insuportável. Quando tivermos a oportunidade de consolar alguém que tenha experimentado semelhante perda, é importante nos lembrarmos de que não sabemos exatamente o tipo de dor que a pessoa está sofrendo. Evite dizer banalidades sem sentido, clichês vazios ou fazer apelos insensíveis do tipo "apenas confie no Senhor" e "siga em frente com sua vida". Nada disso ajuda, então evite fazer. Durante esses longos períodos de sofrimento humano, é melhor apenas oferecer sua presença e uma promessa de oração. Resista a dar lições. Aqueles que estão sofrendo necessitam de compaixão e carinho.

Diante de tudo isso, Jó permaneceu inarredável no compromisso de confiar no Senhor. Apesar da insistência da esposa, não houve pensamento de retaliar contra Deus ou de tirar a própria vida. Isso porque, para Jó, a vida não era sua. Tudo pertencia ao Senhor. Sua reação a essa série de perdas devastadoras fornece luz para todos nós e nos ajuda a responder à pergunta por nós mesmos: E se perdermos tudo?

Uma análise das respostas de Jó

Inicialmente, Jó respondeu às notícias de sua perda com uma surpreendente expressão de adoração e profunda confiança no Senhor:

> Então Jó se levantou e rasgou seu manto. Depois, raspou a cabeça, prostrou-se com o rosto no chão em adoração e disse:
>
> "Saí nu do ventre de minha mãe,
>   e estarei nu quando partir.
> O Senhor me deu o que eu tinha,
>   e o Senhor o tomou.
> Louvado seja o nome do Senhor!".
>
> Jó 1.20-21

Esse não era um homem em estado de negação; era um homem reto, ferido nas profundezas da alma, mas, ao mesmo tempo, oferecendo louvor a seu Deus fiel.

Eis como Jó respondeu à esposa:

> "Você fala como uma mulher insensata. Aceitaremos da mão de Deus apenas as coisas boas e nunca o mal?"
>
> Jó 2.10

Talvez em algum momento de sua vida você tenha entrado um pouco no mundo de Jó. Se não o fez, então eu lhe asseguro que algum dia o fará. Talvez a história de Jó seja penosa de ler porque você sabe como é perder de repente alguém muito próximo e querido. Talvez a ferida ainda esteja aberta — a dor ainda esteja latejando.

Mas vale a pena se aprofundar nesse relato bíblico, por mais penoso que seja. O que ganhamos ao examinar a vida notável de Jó é um alicerce de teologia doutrinal — uma perspectiva bíblica sobre o sofrimento que ajuda a nos preparar para perdas súbitas. O processo de preparação para a perda súbita é como um *crescendo* em uma partitura musical — começa suavemente, depois vai aumentando até chegar à plenitude. Pode ter certeza de que Jó não estava despreparado para reagir a essa tempestade de perdas. Podemos ver isso a partir de sua resposta. Mas isso não aconteceu do nada. Deus o havia preparado ao longo de muitos anos de confiança, acompanhamento e crença. Jó não é um livro sobre o sofrimento — é uma história da fé que triunfa em meio ao sofrimento. É uma história sobre uma fé que se mantém firme, porque se fundamenta em uma compreensão de Deus.

Aprecio a sinceridade de Philip Yancey em seu livro *Decepcionado com Deus*. Nessa obra de exame da própria alma,

Yancey fornece habilmente uma perspectiva cativante sobre a natureza da resposta de Jó à perda:

> Certamente não nego que é meio estranha essa disputa celestial. Por outro lado [...] nos oferece um raro vislumbre de um ponto de vista cósmico, o qual em geral nos é negado. Quando as pessoas experimentam a dor, irrompem perguntas — as mesmíssimas perguntas que atormentaram Jó. Por que comigo? O que está acontecendo? Deus se importa? Existe um Deus? Nessa ocasião específica, no relato brutal do sofrimento atroz de Jó, nós, os espectadores — não Jó — temos oportunidade de dar uma olhada por detrás da cortina. O que [ansiamos], o prólogo de Jó proporciona: um vislumbre de como o mundo é dirigido. Mais do que em qualquer outra parte da Bíblia, o Livro de Jó mostra-nos o ponto de vista de Deus, inclusive a atividade sobrenatural, que geralmente está oculta de nós [...].
>
> Deus não está sendo julgado neste livro. É Jó que está em julgamento. O tema do livro não é o sofrimento: Onde está Deus na hora da dor? O prólogo tratou dessa questão. O tema é a fé: Onde Jó está na hora da dor? Como ele está reagindo? Para compreender o Livro de Jó, eu tenho de começar por aí.[1]

Ao longo de todos esses anos de ministério que o Senhor me proporcionou, um de meus maiores objetivos tem sido proclamar essa verdade importantíssima: Deus está no comando. Ele preside sobre tudo. Ele é soberano. Ele governa bondosa e poderosamente dos céus em perfeita sabedoria, amor e graça (ver Sl 11).

Seja o que for que você esteja enfrentando, adverso ou prazeroso, sua vida tem tudo a ver com Deus... Com a vontade dele... Com o caminho dele.

Mas perdemos facilmente nosso ancoradouro teológico quando insistimos em viver horizontalmente. Ao agirmos assim, os ventos da adversidade acabam nos desviando daquilo em que verdadeiramente acreditamos. Quão melhor é escolher uma resposta de fé que se submete à vontade soberana de Deus, cedendo a seus propósitos de graça tanto ao dar quanto ao tirar bens e pessoas que amamos!

Afinal, esse é o direito soberano dele. Deus não existe para nos fazer saudáveis e felizes. Ele existe para glorificar seu nome. Nós somos o canal pelo qual essa glória flui.

T. S. Eliot expressa isso assim:

> Crer no sobrenatural não é simplesmente crer que, depois de viver aqui uma vida bem-sucedida, material e razoavelmente virtuosa, a pessoa continuará a existir no melhor substituto possível para este mundo, ou que, depois de viver aqui uma vida de privações e necessidades, a pessoa receberá compensação de todas as coisas que não experimentou: é crer que o sobrenatural é, aqui e agora, a maior das realidades.[2]

Sugiro que você releia essa profunda declaração. A vida de fé não é o que você adquire ou produz. A fé consiste em saber que o Pai celestial está trabalhando pela glória dele e pelo seu bem, para moldá-lo à imagem de seu Filho, Jesus. É *isso* o que é a vida! Se for necessária a perda de tudo para obter essa perspectiva vertical, então aceite a perda. Se for necessário que seus sonhos se estilhacem e que você abandone tudo com que contava a vida toda a fim de realinhar sua vida verticalmente, então abandone tudo isso. Tudo se refere a Deus, que dá *e* tira.

Durante aquela dor ampliada, Jó percebeu que o mais importante na vida está no sobrenatural, não no natural — no invisível, não no visível. Esse é o poder da teologia bíblica. Ela nos mantém pensando corretamente sobre Deus e sobre nós mesmos, especialmente em tempos de dificuldade.

A vida real é a vida eterna. A compreensão real é um entendimento do que não é visível. A maturidade real é orientar a vida de acordo com o que é intangível.

Considere as palavras do apóstolo Paulo em Colossenses 3:

> Uma vez que vocês ressuscitaram para uma nova vida com Cristo, mantenham os olhos fixos nas realidades do alto, onde Cristo está sentado no lugar de honra, à direita de Deus. Pensem nas coisas do alto, e não nas coisas da terra. Pois vocês morreram para esta vida, e agora sua verdadeira vida está escondida com Cristo em Deus. E quando Cristo, que é sua vida, for revelado ao mundo inteiro, vocês participarão de sua glória.
>
> Colossenses 3.1-4

Isso é um caminhão carregado de maravilhosa teologia! E representa o alicerce de uma perspectiva vertical.

Se você não aprender mais nada em seus anos andando com o Senhor, aprenda e aceite que Deus está no controle, que ele é soberano. Aceite o fato de que o que você está passando é guiado divinamente por um Pai celestial que o ama demais para lhe fazer algo cruel. Lembre-se: Deus existe em um reino além da nossa compreensão. Ele não é um velho rabugento com uma barba longa. Deus é incompreensivelmente grande. Ele é onisciente. Ele é onipotente. Ele é onipresente. Ele é eterno. Ele é atemporal. Ele é bom. Ele é generoso. Ele é amoroso e justo. E está sempre certo... mesmo quando você acha que o que lhe aconteceu foi muito errado.

Deus é tão profundo que passei a maior parte dos anos de meu ministério como teólogo, ou algo que o valha, pensando: "Senhor, será que algum dia irei entender isso?". Agora que cheguei a uma idade em que comecei a juntar as peças de algumas dessas verdades, estou percebendo que ainda não é fácil. Não é fácil confiar em Deus em tempos de perda devastadora. Agora, em meus oitenta anos, continuo no processo de entender.

Em tudo o que vivenciou, Jó não proferiu palavras de repreensão contra Deus. É o que acontece quando se vive verticalmente — concentrado no reino do sobrenatural. Falamos menos enquanto deixamos, com serenidade, que o milagre de tudo o que há nos penetre.

Aplicando ao seu caso pessoal

Vários princípios emergem a partir da notável história de Jó e ajudam a nos preparar para nossas próprias experiências do tipo "e se". Leia com atenção cada um desses princípios, deixando o Senhor falar diretamente sobre sua situação.

Tudo começa com o tipo de pessoa que você é

Que tipo de pessoa você está se tornando? Se está ficando cada vez mais egoísta, toda perda será prejudicial à sua caminhada com Deus. Na verdade, as perdas súbitas farão capotar sua frágil fé. Escrevo essa afirmação com uma boa dose de compaixão. Desejo que todos nós enfrentemos os tempos dolorosos com uma crescente confiança no Senhor e em sua Palavra.

Se você encara a perda como uma oportunidade para se aprofundar no conhecimento do Deus vivo, compreenderá, no final das contas, que há um propósito divino em permitir que você passe pela dor. Haverá outras pessoas em sua vida que passarão por períodos semelhantes de perda, e você estará preparado de forma única para oferecer compreensão e esperança.

Na perda, você desenvolve compreensão e confiança na Palavra de Deus. Recebe a oportunidade de ver que a vida faz sentido quando encarada verticalmente — de uma perspectiva celestial. Você poderá dizer: "Estou começando a entender". Consegue visualizar mentalmente as jogadas antes que alguém as execute.

Referindo-se ao pecado de adultério de Davi, o pastor britânico F. B. Meyer escreve: "Ninguém se torna vil de repente".[3] Tomando emprestadas as palavras de Meyer, eu diria: "Ninguém se torna pronto de repente para uma grande perda". A estabilidade não nos é concedida da noite para o dia. Nós nos preparamos para os golpes da vida devagar, metodicamente, equipando-nos com a verdade da Palavra de Deus. Você absorve as Escrituras de forma pessoal, assegurando-se de que aquelas verdades sejam adaptadas à sua vida. Isso o impedirá de se ressentir com o que está acontecendo. Os tempos de perda, por mais dolorosos que sejam, ajudam a estabilizar a fé. Eles mudam o foco de uma perspectiva horizontal para uma perspectiva vertical.

Deus conhece tudo sobre seu futuro

Permita-me compartilhar uma resposta importantíssima do final das Escrituras. Deus já está lá — em seu futuro. Amanhã de manhã? Na semana que vem? Quando você se formar na escola? No meio de sua carreira? Nos seus anos de velhice? Quando estiver se aproximando do fim? Ele já está lá. Ele chega antes de você, e sabe o que está à sua frente.

Adoro minha esposa. Eu a amo há mais de sessenta anos. Quero estar com ela pelo resto da vida. Mas pode ser que ela não esteja comigo. Verdade seja dita, pode ser que eu não esteja com ela. Só Deus sabe. Isso significa que servimos a um falso Deus durante todos esses anos? Não, significa que Deus é Deus, e ele determina os parâmetros de quantos dias temos nesta terra. Se o Senhor é supremo em minha mente, minha vida não gira em torno de minha esposa, nem a dela em torno de mim. Esse é um modo saudável — bíblico — de viver. Então eu me treinei para não me apegar demais a nada. Estou me saindo melhor agora do que no início de nosso casamento. Quando eu era mais jovem, escrevi muitos poemas a ela e lhe disse que estaríamos juntos para sempre, mas Deus não me prometeu isso.

Temos nossos filhos, e existe uma tentação de pensar que os teremos para sempre também. Não sabemos isso. Por que Deus não nos oferece essa segurança? Pergunte a Jó. Ele perdeu dez filhos. A Palavra ajuda nossa mente a permanecer focada no que é certo. Guarde essas verdades na cabeça e no coração. Lembre-se delas de vez em quando, já que não temos nenhuma pista sobre o que o amanhã trará.

Leia estas palavras de Tiago devagar e ponderadamente:

> Prestem atenção, vocês que dizem: "Hoje ou amanhã iremos a determinada cidade e ficaremos lá um ano. Negociaremos ali e teremos lucro". Como sabem o que será de sua vida amanhã? A vida é como a névoa ao amanhecer: aparece por um pouco e logo se dissipa. O que devem dizer é: "Se o Senhor quiser, viveremos e faremos isso ou aquilo". Caso contrário, estarão se orgulhando de seus planos pretensiosos, e toda presunção como essa é maligna.
> Tiago 4.13-16

Essas são palavras sábias das quais vale a pena nos lembrarmos. Por que não memorizá-las? Elas ajudarão a equilibrá-lo para seja o que for que o futuro contenha.

Algumas pessoas lhe darão maus conselhos

Por que as pessoas dão conselhos imprudentes? Porque encaram a vida horizontalmente. Elas têm boas intenções. Querem que você se sinta melhor. Querem que você seja feliz. É o que as leva a dizer o que dizem. Mas às vezes suas palavras são equivocadas e podem ajudar a piorar a confusão e a luta que você enfrenta.

A Palavra de Deus o ajuda a filtrar conselhos que não vale a pena adotar. Muito tempo antes de você enfrentar a tempestade, encorajo-o a mergulhar a mente e o coração nas Escrituras. Leia aquelas grandes verdades que lhe fornecem uma base teológica. Peça ao Senhor que lhe dê um espírito de discernimento, para que possa determinar facilmente se o conselho que está ouvindo vem do Senhor ou não. Então, quando experimentar os ventos tempestuosos da dúvida e da dor, sua âncora resistirá, firmemente fixada na rocha da fidelidade imutável de Deus e enraizada no conhecimento de seu controle soberano.

Assim, quando você enfrenta uma tragédia em sua vida, deixe as lágrimas rolarem. Sofra. Não dá para superar a dor antes de expressá-la plenamente. Sofra com a plena compreensão de que Deus está no controle, ou seja, você sofre, mas não "como aqueles que não têm esperança" (1Ts 4.13). Isso pode ser verdade até mesmo em períodos de perda devastadora. No final das contas, você compreende que ele ordenou essa perda para cumprir seu propósito divino para você e em você.

O que realmente importa é como você reage

Vou perguntar de novo: E se você perdesse tudo de repente? Como reagiria? Ficaria cheio de amargura e culparia a Deus?

Iria se sentir arrasado? Decidiria desistir da vida... e de Deus? Tentaria escapar para algum lugar distante? Ou imitaria a reação de Jó? A verdade pura e simples é que Deus ainda está no comando. É possível sentir a mão dele até mesmo nisso. É por isso que você pode adorar a Deus. Você pode declarar: "Senhor, em meio a toda a minha dor, eu te afirmo como meu Pai, meu Guia, meu Amigo e meu Deus. Tu és o Soberano de minha vida, e submeto-me a ti". Essa é uma resposta vertical a uma perda horizontal. É o que significa reagir na fé quando a vida parece fora de controle.

Segurando a vida com leveza

Anos atrás, Cynthia e eu fomos a Amsterdam. Enquanto estávamos naquela cidade encantadora, visitamos o lar de infância da saudosa Corrie ten Boom. Corrie sobreviveu ao Holocausto dos nazistas contra o povo judeu e viveu para contar a história de sua vida em um campo de concentração durante o cerco de Hitler à Europa. Cynthia e eu subimos em silêncio a íngreme escada até o piso superior da casa onde ela viveu outrora, os degraus estreitos de madeira rangendo sob nossos pés.

Aquela era a casa em que Corrie e a família escondiam judeus dos soldados de Hitler. Enquanto permanecíamos quase sem respirar ao lado de outros turistas, a sala ficou tão silenciosa quanto uma noite de inverno. Vimos o buraco pelo qual as famílias se esgueiravam até o esconderijo. O espaço era tão pequeno que eles se revezavam ficando em pé para que outros pudessem deitar e dormir.

Enquanto estávamos ali, era incrível pensar que Corrie ten Boom vivera exatamente naquele lugar. Era uma sensação quase sagrada, a de estar onde ela esteve. Demos graças por sua vida corajosa e pela coragem de sua família.

Anos depois que a guerra terminou, à medida que Corrie compartilhava os horrores que testemunhara e a perda do pai e da irmã Betsie, ela registra essas palavras ternas ditas por Betsie: "Nenhum poço é tão profundo que Ele não possa alcançar".[4] Ela entendia quão insuportável a vida pode parecer após uma perda devastadora. Como Jó, ela conheceu a brutalidade da perda súbita. Mas a verdade da Palavra de Deus a manteve forte. Suportou a tragédia com uma perspectiva vertical. No fundo do coração, sabia que Deus estava no controle.

Pouco tempo antes de sua morte, em um breve instante no vestíbulo de uma igreja onde eu atuara antes como pastor, Corrie ensinou-me uma lição da qual nunca me esquecerei. Segurando meus dedos com as mãos pequenas e enrugadas, desgastadas pela idade e o trabalho incansável, ela disse, com seu sotaque holandês: "Pastor Svindahl... semprre se lembrre de segurrar tudo com lefeza. Segurre seus prreciosos filhos com lefeza. Segurre sua doce esposa com lefeza. Segurre tudo com lefeza. Se não fizer isso, fai doer quando o Pai forrçar seus dedos a se abrirrem e os tirrar do senhor".

Que conselho maravilhoso... para todos nós!

Então, se um dia você perder tudo de repente, confie em Deus. Confie na Palavra dele. Segure tudo com leveza, sabendo que ele está em pleno controle. Ele não deseja prejudicar você ou forçar você à submissão. Esse não é o estilo dele. Mesmo quando a vida parece insuportável, o amor e a compaixão de Deus nunca falham.

3
E se...
um velho amigo o trair?

A Palavra de Deus para quando alguém trai sua confiança

Poucas decepções doem mais do que quando alguém em quem confiamos nos trai deliberadamente. Quando tomamos consciência dessa realidade, achamos quase doloroso demais para acreditar. Pode ser um parceiro de negócios em quem confiávamos, um velho amigo ou alguém que nos prometeu lealdade. Talvez seja a pessoa com quem casamos, que prometeu ser fiel "até que morte nos separe", ou alguém a quem admirávamos e respeitávamos, como um instrutor, um professor, um pastor ou um mentor. Quando descobrimos que essa pessoa nos enganou, nos acusou falsamente ou disse algo prejudicial pelas nossas costas, é não apenas chocante como também penoso. O salmista Davi se referiu a tal experiência angustiante ao compor o salmo 41: "Até meu melhor amigo, em quem eu confiava e com quem repartia meu pão, voltou-se contra mim" (Sl 41.9).

Neste capítulo, conheceremos um homem do Antigo Testamento — uma figura histórica da qual talvez você nunca tenha ouvido falar. Embora desconhecido de quase todos hoje, ele foi um servo em quem o profeta Eliseu confiava. O nome desse servo era Geazi. Temos todos os motivos para acreditar que Geazi fora tanto leal quanto dedicado ao mestre. Mas um dia tudo mudou... O dia em que ele substituiu a dedicação pela falsidade.

Um novo olhar sobre a verdadeira fidelidade

As palavras do apóstolo Paulo em 1Coríntios 4 estabelecem os alicerces para esse tema da traição. No coração dessa questão está a ideia de fidelidade. Leia com cuidado as palavras de Paulo em relação a essa importantíssima virtude cristã:

> Portanto, [Apolo e eu] devemos ser considerados simples *servos* de Cristo, encarregados de explicar os mistérios de Deus. De um encarregado espera-se que seja *fiel*. Quanto a mim, pouco importa como sou avaliado por vocês ou por qualquer autoridade humana. Na verdade, nem minha própria avaliação é importante. Minha consciência está limpa, mas isso não prova que estou certo. O Senhor é quem me avaliará e decidirá.
>
> 1Coríntios 4.1-4 (itálicos acrescentados)

Paulo faz uma observação importante que a maioria de nós tende a esquecer: escravos e servos de Cristo constituem o fluxo da vida do ministério. Você captou isso? Escravos e funcionários, não pessoas importantes, influentes e celebridades. Não as pessoas poderosas e da alta sociedade. Não aqueles com dinheiro, os muito talentosos ou os mais experientes. Na verdade, os indivíduos essenciais em qualquer ministério são chamados "servos de Cristo" e, literalmente, "encarregados dos mistérios". Observe como 1Coríntios 4.1 aparece na Nova Versão Internacional: "Portanto, que todos nos considerem [referindo-se a Paulo e Apolo] servos de Cristo e encarregados dos mistérios de Deus".

Valendo-se desses dois termos descritivos, *servos* e *encarregados*, Paulo define as tarefas daqueles que cuidam dos processos do ministério. Não há menção a grandes líderes conhecidos, pastores famosos ou celebridades em posições de relevo — nada disso. Ele menciona *servos* e *encarregados*.

O papel dos servos e encarregados

Uma breve análise dessas duas palavras ajudará a compor a base para a história que se segue. A palavra traduzida como *servos* também é frequentemente traduzida como *escravos*. Essa palavra grega, *huperetes*, é uma combinação de dois termos: *hupo*, que significa "sob, embaixo de", e *eretes*, que significa "remador".

Paulo visualiza um servo como um "remador inferior". A referência do primeiro século é a indivíduos (escravos) que lutavam arduamente contra as ondas, nos porões de navios mercantes ou de guerra, remando em harmonia. Muitas vezes esses escravos eram acorrentados ao casco de uma embarcação de longo curso, remando continuamente durante horas a fio, impulsionando o navio para a frente em mares encrespados. Esse é o retrato de um servo. Esses "remadores inferiores" estavam acostumados a servir nos porões dos navios, sem serem notados nem receberem aplausos ou reconhecimento. Como escravos, eram forçados a trabalhar. Quando esse conceito é aplicado à vida cristã, um fiel servo ou encarregado do evangelho é compelido, como escravo de Cristo, a servir com dedicação, sem esperar reconhecimento, e a permanecer assim.

Depois temos a palavra *encarregado*, no versículo 2. Alguém que é encarregado deve ser fiel. A palavra *oikonomos* significa literalmente "supervisor doméstico". Trata-se de um indivíduo, provavelmente também escravo, forçado a auxiliar nas tarefas diárias do dono da casa. O apóstolo Paulo queria que seus leitores entendessem que ele e Apolo agiam tanto como remadores de porão quanto como supervisores domésticos da igreja. Ele não reivindicava fama nem prestígio devido à sua posição especial como apóstolo.

O que era verdade em relação ao grande apóstolo é verdade, analogamente, em relação a você e eu. Aliás, é verdade em relação a todos os que reivindicam o nome de Cristo. Todos nós somos encarregados na igreja, incumbidos de explicar e proclamar os mistérios de Deus aos demais.

Nesta cultura de líderes renomados, gerenciamento de alto desempenho e técnicas avançadas de *marketing*, é de fato importante esse lembrete de que somos chamados primeiramente a remar. A trabalhar pesado e fielmente nos porões e a sermos leais e confiáveis guardiões da casa de Deus, a igreja. Isso coloca tudo na perspectiva adequada.

As responsabilidades de servos e encarregados

Como é fácil esquecer nosso papel primordial como servos e encarregados da verdade de Deus! Na realidade, o principal ingrediente em ambos os papéis é a fidelidade. Não ostentação, nem esperteza ou perspicácia, nem diversão ou honras, mas fidelidade. O que é realmente necessário entre os remadores nos porões do navio são indivíduos que remem sem discórdia. Isso é especialmente verdadeiro em uma batalha, quando é preciso deixar para trás um navio inimigo que tenta nos atacar. Precisamos também de encarregados — aqueles raros indivíduos que se sentem perfeitamente confortáveis em permanecer invisíveis e atendendo às necessidades de todo o grupo: os ajudantes de cozinha, os administradores da casa, aqueles que garantem que as jarras de água estejam cheias, que o convés esteja limpo e as salas estejam arrumadas.

O que quero dizer é que é uma grande tentação para os remadores de porão começarem a se ver como mais do que isso e passarem a invejar aqueles no convés superior, onde o capitão desfruta da brisa fresca e de momentos ocasionais de ruidosos aplausos. No caso da igreja, o capitão é Cristo. Ele está no convés. Ele merece toda a glória e louvor. Servimos nos porões — mantendo o trabalho fluindo, avançando com o remar fiel e o serviço diligente.

Como remadores de porão, somos responsáveis por explicar calma e fielmente os mistérios de Deus. Entendam isso: nós não pilotamos o navio. Essa é a tarefa do capitão, Jesus. Somente ele é o chefe. Nós remamos... ele orienta.

Estamos também encarregados de supervisionar nossos ministérios com integridade. Servimos verdades bem-preparadas que possibilitam que o Bom Ministério do Navio continue navegando. Acho isso fascinante quando penso sobre o entendimento comum da igreja hoje em dia. Lamentavelmente, poucos livros, artigos ou *blogs* mencionam o importantíssimo papel do serviço. E, no entanto, as Escrituras deixam claro que nossa principal responsabilidade é ser fiel, mesmo quando isso significa realizar tarefas servis.

Quanto mais vivo, mais admiro e aprecio a verdadeira fidelidade entre servos e encarregados. Ao longo dos anos, tenho apreciado muito o fiel e leal ministério de vários associados com quem tive o privilégio de servir. Há poucas alegrias maiores do que a de servir com uma equipe fiel e leal. Todavia, é extremamente doloroso (e, felizmente, extremamente raro) quando um colega servo se desvia do caminho e se perde. Em tais situações, o indivíduo para de remar e começa a levar uma vida secreta ou a sabotar o ministério e seus líderes. Essas experiências de fraude e traição são penosas de suportar. Mas não são nada de novo.

Uma história milagrosa de cura física

Por que minha descrição de servos inclui tamanha ênfase na fidelidade? Porque passaremos agora a ver a história de um homem que se esqueceu de sua importância. Seu nome era Geazi. Ele foi chamado a ser um remador de porão... um encarregado leal e diligente para auxiliar o profeta Eliseu. Esse relato do Antigo Testamento contém três personagens principais, cada um desempenhando um papel nessa interessante história.

Naamã, o guerreiro valente

Em 2Reis 5, conhecemos um indivíduo chamado Naamã. Ele servia o rei da Síria como comandante do exército. O rei respeitava Naamã porque, "por meio dele, o Senhor tinha dado grandes vitórias à Síria" (2Rs 5.1).

Embora Naamã fosse um comandante bem-sucedido, sofria de uma doença debilitante: lepra.

Devo acrescentar que Naamã era não apenas famoso como também extremamente rico. Sem dúvida, Naamã tinha acesso ao tesouro do rei. Isso lhe dava imensa autoridade.

Naamã sofreu com a lepra por muitos anos, e ansiava por se ver livre dessa horrível doença. Teria dado toda a sua riqueza em troca de uma cura permanente. É quando aparece Eliseu.

Eliseu, o profeta temente a Deus

Eliseu serviu como profeta em Israel durante o reinado do rei da Síria. Naamã, o comandante do exército da Síria, conheceu uma menina serva que estava entre os cativos aprisionados em uma batalha. A esposa de Naamã aceitou a menina serva em seu lar como criada (ver 2Reis 5.2). Aflita com a terrível doença de Naamã, a menina israelita exclamou: "Como seria bom se meu senhor fosse ver o profeta [Elias] em Samaria! Ele o curaria da lepra!" (2Rs 5.3).

Leia diretamente para ver como a história se desenrola em 2Reis 5:

> Naamã contou ao rei o que a menina israelita tinha dito. Então o rei da Síria lhe respondeu: "Vá visitar o profeta. Eu lhe darei uma carta de apresentação ao rei de Israel". Naamã partiu levando 350 quilos de prata, 72 quilos de ouro e dez roupas de festa. A carta para o rei de Israel dizia: "Com esta carta apresento meu servo Naamã. Quero que o rei o cure da lepra".
>
> Quando o rei de Israel leu a carta, rasgou as roupas e disse: "Acaso sou Deus, capaz de dar ou de tirar a vida? Por que esse homem me pede que cure um leproso? Como vocês podem ver, ele procura um pretexto para nos atacar!".
>
> Mas, quando Eliseu, o homem de Deus, soube que o rei de Israel havia rasgado as roupas, mandou-lhe esta mensagem: "Por que o rei ficou tão aflito? Envie Naamã a mim, e ele saberá que há um profeta verdadeiro em Israel".
>
> Então Naamã foi com seus cavalos e carruagens e parou à porta da casa de Eliseu. Ele mandou um mensageiro dizer a Naamã: "Vá e lave-se sete vezes no rio Jordão. Sua pele será restaurada, e você ficará curado da lepra".
>
> Naamã ficou indignado e disse: "Imaginei que ele sairia para me receber! Esperava que movesse as mãos sobre a lepra, invocasse o nome do SENHOR, seu Deus, e me curasse! Não são os rios Abana e Farfar, em Damasco, melhores que qualquer rio de Israel? Será que eu não poderia me lavar em um deles e ser curado?". Naamã deu meia-volta e partiu furioso.
>
> Mas seus oficiais tentaram convencê-lo, dizendo: "Meu senhor, se o profeta lhe tivesse pedido para fazer algo muito difícil, o senhor não teria feito? Por certo o senhor deve obedecer à instrução dele, pois disse apenas: 'Vá, lave-se e será curado'". Assim,

Naamã desceu ao Jordão e mergulhou sete vezes, conforme a instrução do homem de Deus. Sua pele ficou saudável como a de uma criança, e ele foi curado.

Então Naamã e toda a sua comitiva voltaram para onde morava o homem de Deus. Ao chegar diante dele, Naamã disse: "Agora sei que no mundo inteiro não há Deus, senão em Israel. Por favor, aceite um presente de seu servo".

Eliseu, porém, respondeu: "Tão certo como vive o SENHOR, a quem sirvo, não aceitarei presente algum". Embora Naamã insistisse, Eliseu recusou.

Então Naamã disse: "Está bem, mas peço que permita que este seu servo leve para casa duas mulas carregadas com a terra deste lugar. De agora em diante, nunca mais oferecerei holocaustos ou sacrifícios a qualquer outro deus, senão ao SENHOR. Mas que o SENHOR me perdoe por uma coisa: quando meu senhor, o rei, for ao templo do deus Rimom para adorar ali e se apoiar em meu braço, que o SENHOR me perdoe quando eu também me curvar".

"Vá em paz", disse Eliseu. Então Naamã partiu para casa.

2Reis 5.4-19

Essa é, sem dúvida, uma das narrativas mais comoventes em todas as Escrituras. Vemos o orgulhoso, astucioso, desesperado e determinado Naamã frente a frente com o servo-encarregado Eliseu, a quem as Escrituras se referem como um "homem de Deus" — um remador inferior do Deus Criador. Não é notável?

Tendo ido falar com o rei devido à sugestão da criada israelita, Naamã partiu com a bênção do rei e uma arca do tesouro cheia de dinheiro para se encontrar com esse homem de Deus. Levou 350 quilos de prata e 72 quilos de ouro — mais do que 3 milhões de dólares na moeda atual —, esperando comprar sua cura.

Use a imaginação para visualizar a cena. No portão da casa de Eliseu, postou-se Naamã, o comandante militar, com o peito coberto de medalhas. Ele estava cercado por um exército de homens montados — guerreiros — e toda a pompa e circunstância, espadas e faixas que acompanhavam uma esplêndida comitiva militar desse tipo. A cena deve ter sido notável em todos os aspectos. Mas, em vez de saudar Naamã em pessoa, como o poderoso comandante esperava, Eliseu enviou um mensageiro, um "zé-ninguém", para ir falar com ele (2Rs 5.10).

Por meio do mensageiro, Eliseu instruiu Naamã a se lavar no rio Jordão sete vezes; assim ele se curaria da lepra. Após ouvir as instruções de Eliseu, Naamã retirou-se em um ataque de fúria. Mais tarde, reavaliou a situação e retornou. Em um surpreendente momento de rendição e submissão, o outrora orgulhoso e rico comandante se humilhou e foi se lavar nas águas geladas do rio Jordão. Que magnífico milagre ele experimentou!

É aqui que a história se torna fascinante. Mais uma vez, imagine-se na cena. Você é famoso. Você é rico. Você sofre de uma doença debilitante há anos. Você está morrendo, então finalmente se submete a um plano de cura que é fora do convencional. Milagrosamente, a doença desaparece!

Como você reagiria? Provavelmente você pegaria todo o dinheiro disponível e o entregaria ao responsável pela sua cura, dizendo: "Tome. O que o senhor fez por mim vale isso e muito mais".

Foi exatamente o que Naamã fez. No entanto, Naamã estava prestes a ter outra surpresa. Antes de lermos sobre isso, pense em Eliseu. Esse poderia ter sido o momento certo para ele ser recompensado pelos muitos anos de sacrifício como profeta de Deus. Mas Eliseu não quis saber de nada disso.

Recusou-se a ganhar uma moeda sequer! Isso é que é integridade: resiste ao teste mais difícil!

A propósito, para o encarregado fiel, o serviço nunca é feito em busca de remuneração. Dinheiro nunca é a motivação para a fidelidade — pelo menos não para um remador inferior ou um encarregado da casa de Deus. Eliseu lembrou a Naamã que nem sequer estivera presente no Jordão quando Naamã foi curado. Fora Deus que realizara o milagre, não o profeta.

Por favor, lembre-se dessa verdade. Não existem *curandeiros* divinos. Existe a *cura* divina. Se Deus escolhe curar, não o faz por causa da pessoa; ele oferece a cura devido a sua graça. Eliseu sabia disso. Naamã finalmente aceitou a recusa de Eliseu, abandonou o plano de pagar ao homem de Deus pelo serviço, e iniciou a jornada de volta para casa — curado, humilde e completamente transformado (ver 2Rs 5.15).

Geazi, o servo digno de confiança

A trama se complica de repente. Entra em cena Geazi.

Havia alguém observando todo esse acontecimento. Ao fazê-lo, ele notou o brilho do ouro e o lampejo da prata vindos da bolsa de Naamã. Lembra-se de Geazi? Ele era o remador inferior que servira fielmente a Eliseu, o profeta de Deus. Ele era o encarregado, o amigo leal de Eliseu. Estava lá para garantir que o ministério continuasse funcionando, para executar tarefas, preparar refeições. Provavelmente sobrevivia com um salário pequeno, se é que recebia algum salário. Em um instante, Geazi, o encarregado, perdeu o rumo.

> Mas Geazi, servo de Eliseu, o homem de Deus, pensou: "Meu senhor não deveria ter deixado esse sírio, Naamã, partir sem aceitar os presentes. Tão certo como vive o SENHOR, vou correr atrás

dele para ver se consigo alguma coisa". E Geazi correu atrás de Naamã.

2Reis 5.20-21

Uma espiral descendente de traição e engodo

Note os vários elementos que constituem esse nível de embuste. Todos são importantes:

- *Racionalização.* É quando alguém se vale de motivos que satisfazem a própria pessoa, mas são errados, para justificar um comportamento fraudulento. Observe que Geazi teve a audácia de invocar o nome do Senhor como outra racionalização dessa busca egoísta (ver 2Rs 5.20).
- *Cobiça.* Essa é a motivação pecaminosa que compele alguém a agarrar mais e mais com propósitos egoístas — mesmo que isso signifique trair um velho amigo ou patrão. Muitas vezes o objeto da cobiça são as posses ou a riqueza de outra pessoa. Foi o que aconteceu nessa história. Geazi estava determinado a correr atrás de Naamã e conseguir "alguma coisa" (2Rs 5.20). Nunca lhe ocorreu a ideia de apelar ao mestre, Eliseu, em busca de orientação ou chamar o Senhor em seu auxílio. Em vez disso, partiu em segredo para cumprir seu objetivo mesquinho.
- *Segredo.* Assim que Geazi voltou para casa com o saque, manteve tudo em segredo e escondeu as evidências (ver 2Rs 5.24). Para piorar a situação, quando Eliseu perguntou aonde havia ido, ele mentiu diante do profeta. A mentira só intensificou a profundidade a que Geazi desceu em sua traição.

Naamã viu que Geazi o perseguia e deteve a caravana. Quando perguntou a Geazi se tudo estava bem, o servo de Eliseu começou a descer cada vez mais fundo nesse caminho de engodo. Note, nos versículos 21-22, a progressão em suas respostas:

- Geazi [quando Naamã perguntou se estava tudo bem]: Sim. (Não estava.)
- Geazi: Meu senhor me enviou. (Não havia enviado.)
- Geazi: Dois jovens profetas estão em necessidade. (Não estavam.)
- Geazi: Meu senhor pediu dinheiro. (Não pediu.)

É claro que Naamã se ofereceu a entregar tudo o que Geazi requisitou. O coração do comandante estava repleto de gratidão pelo que acabara de experimentar nas mãos do homem de Deus, Eliseu. É aí que a fraude se torna especialmente feia. Geazi não apenas se aproveitou da reputação pura de Eliseu como também tirou vantagem da gratidão de Naamã para executar sua traição mesquinha. A propósito, quando alguém próximo o trai, isso sempre é feito em segredo. Você fica o tempo todo sem saber de nada, o que aumenta o choque quando a verdade vem à tona.

Consigo me identificar com esse momento e a importância de ser franco. Quando eu estava no ensino médio, andei com dois caras valentões, Eugene e Freddy. Minha mãe costumava me dizer: "Quando você anda com Eugene e Freddy, sempre se mete em encrenca. Então pare de andar com esses dois!". Minha mãe tinha razão. Lamentavelmente, ignorei o alerta.

Em uma noite do Dia das Bruxas, eu estava aprontando com aqueles dois garotos. Compramos meia dúzia de ovos em uma loja de conveniência da região — o suficiente para que cada um de nós carregasse dois ovos. Nossa professora de inglês morava, naquela época, em nossa vizinhança. Não gostávamos muito dela, para não dizer coisa pior! Nós nos escondemos entre as folhagens do outro lado da rua e, depois de contarmos até três, saltamos e arressamos os ovos na frente da casa dela. Todos os seis atingiram o telhado dela em cheio. Foi perfeito!

Só que não havíamos contado com o marido da nossa professora sair pela porta da frente portando uma espingarda calibre 12! Ele descarregou a arma enquanto meus amigos e eu batíamos o novo recorde da corrida de 200 metros! Na verdade, ao correr para casa, acabei saltando um muro de quase dois metros de altura. Quando entrei em casa, ofegando e bufando, minha mãe perguntou calmamente:

— Charles, por onde você andou?

Olhei para ela envergonhado, mas não consegui falar.

Ela continuou:

— Você estava com Freddy e Eugene, não estava?

— Estava — respondi.

Finalmente, confessei tudo, e pagamos pelos danos causados por nossa má ação. Minha mãe insistiu que nós três voltássemos à casa da professora de inglês, confessássemos nosso crime e limpássemos a sujeira no telhado. Os outros dois me odiaram, mas esfregamos o telhado até ficar limpo. Jamais esquecerei aquela experiência.

Geazi, contudo, não confessou seu pecado. Ao contrário: negou haver cometido qualquer má ação. Além de enganar Naamã, enganou o velho amigo Eliseu. Ao perceber a mentira de Geazi, Eliseu repreendeu-o sem piedade.

Eliseu lhe disse: "Você não percebe que eu estava presente em espírito quando Naamã desceu da carruagem para encontrar-se com você? Esta definitivamente não era ocasião de receber dinheiro e roupas, oliveiras e videiras, ovelhas, gado e servos. Por isso, você e seus descendentes sofrerão da lepra de Naamã para sempre". Quando Geazi saiu dali, seu corpo estava coberto de lepra; sua pele estava branca como a neve.

2Reis 5.26-27

Lições valiosas sobre a importância de resistir

Não havia espaço na vida de Eliseu para esse tipo de traição. Se Geazi mentia para ele daquela forma, o que mais seria capaz de fazer? Eliseu fora traído pelo servo em quem confiava havia muito tempo. É verdade que a punição de ter lepra por toda a vida foi dura, abrangente e permanente. Reflita profundamente sobre isso. Quantas vezes Geazi deve ter se arrependido daquele impulso mesquinho! Quantas vezes deve ter relembrado aquela grandiosa fraude! É um final grave e trágico para um milagre que, em outros aspectos, foi fenomenal.

Entretanto, a partir dessa cena intensa de mágoa, encontramos algumas lições valiosas para todos nós. Especialmente se nos virmos na posição de sermos enganados ou traídos por um amigo em quem confiávamos.

Não deixe espaço em sua vida para a fraude

Inicialmente, gostaria de dar um aviso àqueles que são remadores de porão, cuja vocação é servir a outros. Francamente, isso inclui todos nós que fomos chamados a seguir a Cristo. Não deixe espaço em sua vida para a fraude. Faça a si mesmo a mesma pergunta em cada situação e a cada decisão: *Qual é a coisa certa a fazer?* Se você se fizer sempre essa pergunta, jamais será um farsante.

Guarde-se contra todas as formas de racionalização

Esse princípio se aplica a qualquer um que seja um encarregado — um zelador da casa, dos bens ou do ministério de outrem. Guarde-se contra todas as formas de racionalização. Faça a si mesmo a pergunta: *Qual é a minha motivação?*

Talvez você se surpreenda em saber que há apenas uma pequena placa sobre minha escrivaninha na igreja em que sirvo como pastor. Se você passasse por lá e conversasse comigo na privacidade de meu escritório, veria essa placa de madeira sobre a escrivaninha. Um amigo meu serrou-a com cuidado de um pedaço de madeira e presenteou-me com ela. A placa contém esta pergunta: "Qual é a minha motivação?". Leio essa pergunta e reflito sobre a resposta todos os dias quando estou no escritório.

Independentemente da sua posição na vida, você, também, é um remador de porão — um encarregado do tempo, recursos, propriedade, atenção, afeição, respeito e provisões de outra pessoa. É bom que todos nos lembremos da história da vida de Geazi — um relato trágico de fraude, cobiça e das terríveis consequências da traição.

Não nos esqueçamos nunca de que somos todos remadores de porão; somos todos zeladores. Fazemos o que fazemos por um único motivo: a glória do Capitão do navio — Jesus Cristo. Ele recebe *todo* o crédito. Temos a responsabilidade de remar e servir. À medida que desempenhamos nossas responsabilidades todos os dias, precisamos continuar nos fazendo aquelas duas perguntas: *Qual é a coisa certa a fazer?* e *Qual é minha motivação?*

Continue remando

Gostaria de encerrar este capítulo com uma história pessoal. Quando me formei no Seminário Teológico de Dallas, fui chamado a servir como assistente de um ministro que era respeitado mundialmente. Seu nome era Dr. J. Dwight Pentecost. Ele e eu não podíamos ser mais diferentes. Nutríamos as mesmas crenças e abraçávamos muitas das mesmas convicções, mas éramos muito diferentes em idade, personalidade e experiência. Ele contava com várias décadas de experiência, e eu estava nos meus vinte e tantos anos. Ele era tudo o que eu não era. Ele era culto e sábio; eu era jovem e inexperiente. Ele era um pastor maduro e um fantástico expositor das Escrituras; eu estava apenas iniciando meu papel como pregador. Ele era o autor de muitos livros de sucesso; eu apenas aspirava a ser escritor. Ele era teólogo e um professor respeitado no Seminário Teológico de Dallas; eu havia acabado de me formar. Ele já havia sido meu professor; eu era agora seu assistente.

Aonde quer que o Dr. Pentecost fosse, dentro ou fora dos Estados Unidos, grandes multidões se reuniam. Ele possuía uma reputação imaculada. Simbolizava todos os aspectos do que significa ser um fiel mensageiro de Cristo.

Era uma posição invejável, a que eu iria ocupar. Durante todos aqueles anos, preguei na igreja onde ambos servíamos quando ele estava fora da cidade. Que oportunidade única a minha!

Quando eu pregava, multidões se reuniam pensando que ele estaria no púlpito. Não era a minha reputação que atraía a multidão; era a dele. Estou certo de que, quando muitas pessoas chegavam, ficavam decepcionadas ao perceber que era um novato chamado Swindoll que estava no lugar onde o estimado Dr. Pentecost costumava ficar. Eu pegava carona em sua fama. Minha popularidade era emprestada. Era a pregação dele que tornava a igreja importante. O santuário lotado era resultado de sua grande reputação, não da minha. Deus o recompensava pelos anos de integridade e dedicação. Eu era um remador de porão, um encarregado em quem ele confiava.

No início de certa tarde, um presbítero da igreja veio falar comigo. Jim tinha algumas palavras sábias a me dizer — palavras que, até hoje, consigo repetir de cor.

— Você tem alguns minutos, Chuck?

— Claro, Jim.

Ele fechou a porta de meu pequeno escritório atrás de si.

— Chuck, estou aqui porque gosto de você — começou Jim. — Estive pensando muito sobre você nesses dias. Estou aqui porque quero o melhor que Deus tenha reservado a você. Como presbítero, tenho assistido a tudo o que tem se passado enquanto você e o Dr. Pentecost trabalham juntos, o que é maravilhoso de ver. Observo que vocês têm um ótimo relacionamento. Gostaria que isso continuasse. Mas você precisa saber, Chuck, que, entre os dois, sua posição é a mais precária. Por favor, escute atentamente. Quero que evite a tentação de ficar mencionando o nome do Dr. Pentecost para obter vantagens. Gostaria que se prevenisse contra qualquer ideia de que tenha direito a privilégios. Gostaria que refreasse todas as tentativas ardilosas de obter atenção para si ou receber os créditos por este ministério. Asseguro-o de que nunca o vi fazer isso — disse ele, com sinceridade — e espero nunca ver. Você desfruta de muitos benefícios nessa posição que não levou anos para obter. Foi ele que os obteve; assim, esse é o papel importante que foi concedido a ele por Deus. Seu papel é o de assistente designado por Deus.

Que sábias palavras!

Aquela foi uma sessão maravilhosa de conselhos devotos de alguém que se importava profundamente comigo e, ainda mais importante, com nossa igreja. Ele estava certo. Estava me dizendo para ocupar meu posto nos porões, para ficar sentado em meu lugar... e remar. Remar pesado e continuar remando com fé.

Ao ler isso, talvez vocês sejam tentados a julgar mal Jim por aquela declaração ousada. Gostaria que soubessem que, ao deixar o escritório, ele me puxou para perto, me abraçou forte e falou:

— Quero que você saiba o quanto eu o amo e desejo o melhor para você. Relutei em ter essa conversa, mas creio que o Senhor me conduziu aqui para dizer essas palavras. Espero que nunca as esqueça.

Assegurei-o de que nunca as esqueceria. As palavras ainda ressoam em meus ouvidos.

Aqui estão alguns versos que compus para que ajudassem a me lembrar da importância do serviço fiel:

Reme, reme, reme o barco,
Não desista da missão
Servindo a Cristo com muita fé,
Pois ele é o Capitão.

Então, se um velho amigo trai você, continue remando. O Senhor conhece os detalhes. Ele sabe exatamente o que aconteceu. Deixe ao encargo dele. Sua glória é emprestada. A minha também. Vamos remar, remar e remar juntos nossos barcos em louvor e glória do nome dele.

4
E se...
você precisar chamar alguém à responsabilidade?

....

A Palavra de Deus para quando
você precisa confrontar o pecado

Foi um dia terrível em minha vida aquele em que me contaram que um homem conhecido por suas excelentes explicações da Bíblia e respeitado por aqueles a seu redor estava tendo um caso com uma aluna. Alguém veio me dizer:

— Preciso lhe contar que, se algo não for feito quanto à vida secreta desse homem, o marido da mulher vai matá-lo amanhã.

Ele me estendeu um envelope marrom com fotografias mostrando o homem na cama com a aluna. Nem cheguei a olhar. Respondi:

— Acredito em você. Por que está me contando isso?

Ele me disse o que eu não queria ter escutado:

— O senhor é o pastor dele. Minha esperança é que o senhor resolva essa situação.

Lidei com a situação da melhor forma que pude, deixando o desenlace final para o Senhor. Posso dizer o seguinte: foi uma confrontação extremamente difícil. Mas eu a executei. Minha mensagem era uma mensagem irrefutável do Senhor, e eu precisava transmiti-la. Foi triste e penoso, mas a confrontação era essencial.

Chamar alguém à responsabilidade nunca é uma experiência agradável. Isso é verdade especialmente se estamos interpelando alguém com relação ao pecado. Ninguém que chama outra pessoa à responsabilidade por um motivo correto faz isso voluntariamente. Muitas vezes essas conversas constrangedoras são acompanhadas de lágrimas e grande relutância.

No entanto, gostaria de declarar brevemente que não é papel exclusivamente de pastores ou de líderes do ministério alertar para o pecado na vida dos outros. O corpo de Cristo foi projetado para ser um lugar seguro e amoroso onde vivemos em sujeição mútua uns aos outros (ver Ef 5.21). Isso inclui a plena transparência e a disposição de correr o risco de abordar um assunto delicado com alguém que precisa enfrentar a verdade. Chamar alguém à responsabilidade é essencial!

O clássico exemplo bíblico de alguém interpelando outra pessoa devido ao pecado é quando Deus enviou o profeta Natã ao rei Davi. A missão era falar a verdade a Davi com relação ao pecado dele com Bate-Seba. Não sabemos que lutas interiores Natã enfrentou antes de interpelar o rei, mas podemos estar certos de que ele teve longas conversas com Deus antes de entrar na sala do trono. Natã tinha em sua lista uma verdadeira ladainha de pecados de Davi, inclusive o adultério ainda em andamento; o assassinato do marido de Bate-Seba, Urias; e a vida do rei na hipocrisia. Que coragem deve ter sido necessária para que Natã interpelasse Davi da forma como o fez! Incluí a narrativa de 2Samuel 12 na íntegra como um pano de fundo para nosso estudo sobre esse tópico importante, mas frequentemente incompreendido. Leia a passagem devagar e ponderadamente.

Então o SENHOR enviou o profeta Natã a Davi. Ele foi até o rei e lhe disse: "Havia dois homens em certa cidade. Um era rico, e o outro, pobre. O rico era dono de muitas ovelhas e muito gado. O pobre não tinha nada, exceto uma cordeirinha que ele havia comprado. Ele criou a cordeirinha, e ela cresceu com os filhos dele. Comia de seu prato, bebia de seu copo e até dormia em seus braços; ela era como sua filha. Certo dia, um visitante chegou à casa do rico. Em vez de matar um dos animais de seu próprio rebanho, o rico tomou a cordeirinha do pobre, a matou e a preparou para seu visitante".

Davi ficou furioso com esse homem rico e jurou: "Tão certo como vive o Senhor, o homem que faz uma coisa dessas merece morrer! Deve restituir quatro ovelhas ao pobre por ter roubado a cordeirinha e não ter mostrado compaixão".

Então Natã disse a Davi: "Você é esse homem! Assim diz o Senhor, o Deus de Israel: 'Eu o ungi rei de Israel e o livrei das mãos de Saul. Dei-lhe a casa e as mulheres de seu senhor e os reinos de Israel e Judá. E, se isso não bastasse, teria lhe dado muito mais. Por que, então, você desprezou a palavra do Senhor e fez algo tão horrível? Você assassinou Urias, o hitita, com a espada dos amonitas e roubou a esposa dele! De agora em diante, a espada não se afastará de sua família, pois você me desprezou ao tomar para si a mulher de Urias'.

"Assim diz o Senhor: 'De sua própria família farei surgir seu castigo. Tomarei suas mulheres diante de seus olhos e as darei a outro homem; ele se deitará com elas à vista de todos. O que você fez em segredo, eu farei acontecer abertamente, diante de todo o Israel'".

Então Davi confessou a Natã: "Pequei contra o Senhor".

Natã respondeu: "Sim, mas o Senhor o perdoou, e você não morrerá por causa do seu pecado. Contudo, uma vez que você demonstrou o mais absoluto desprezo pela palavra do Senhor ao agir desse modo, seu filho morrerá".

Depois que Natã voltou para casa, o Senhor fez adoecer gravemente o filho de Davi com a mulher de Urias.

2Samuel 12.1-15

Examinando mais de perto a interpelação oportuna

Dizer que andamos pela fé de forma alguma sugere que não precisemos responder perante Deus e as outras pessoas. Em nenhuma passagem da Bíblia lemos versículos dizendo "Viva e deixe viver", "Não importa!" ou "Me deixe em paz e eu deixo você em paz". Jesus nunca encorajou uma atitude frívola desse tipo em relação a nossas ações. Ninguém jamais amou tanto quanto Jesus, mas, ao mesmo tempo, ele nunca deu de ombros quando um de seus discípulos se desviava do caminho certo. Ele os confrontava por seus erros — mas sempre com amor, com o desejo de reparação.

Por que Jesus deveria confrontar o pecado? Por que ele considerava essa interpelação tão essencial? Porque chamar à responsabilidade de modo pessoal demonstra nosso amor pela pessoa que peca (ver Hb 12.6).

Do ponto de vista das Escrituras, entendo que há aqui uma progressão. Chamar alguém à responsabilidade se inicia com o amor. Interpelamos porque nos importamos. Na verdade, nós nos importamos com a pessoa a ponto de querer alertá-la. Nós nos importamos com o seu bem-estar. Porque nos importamos tão profundamente, precisamos ser duros, o que demonstra o quanto nos importamos.

Pense naqueles que se importam com os outros:

- Bons médicos chamam a atenção dos pacientes quando percebem neles hábitos não saudáveis. Esperamos que façam isso. Tal sinceridade é sinal de que se trata de um bom médico.
- Bons treinadores questionam a preguiça e corrigem jogadas desleixadas de seus atletas. Os atletas querem jogar

para um treinador que cuida para que eles tenham um desempenho ao nível do melhor de sua capacidade, mesmo que isso signifique palavras duras e cobranças frequentes.
- Pais chamam à responsabilidade crianças que se comportam mal e adolescentes com atitudes inadequadas. Quantas vezes nós, como pais (e avós), precisamos fazer isso? É claro que isso se origina de nosso amor por eles. Queremos que cresçam demonstrando autocontrole e tendo bom comportamento.
- Às vezes, os amigos chamam à responsabilidade os companheiros mais próximos. Amigos verdadeiros não hesitam em chamar o outro de lado para repreendê-lo por algo. Se estou andando no sentido errado, quero amigos que me amem o bastante para me puxarem para o bom caminho. E você também.
- Os cônjuges frequentemente precisam chamar um ao outro à responsabilidade. Casamentos saudáveis incluem uma conversa franca.

Algum tempo atrás, li sobre um jovem pastor que era realmente bom pregador. Cada vez mais pessoas tomavam conhecimento de sua atuação, e cada vez mais pessoas começaram a frequentar sua pequena igreja. Não demorou muito até que precisassem aumentar o número de cultos para acolher o público crescente. Finalmente, os cultos múltiplos não bastaram — eles precisaram construir um novo prédio. O problema é que, nesse processo, ele começou a acreditar em sua própria propaganda. Ninguém notou isso tão bem quanto sua esposa. Não é de admirar que ela tenha se cansado daquilo.

Um dia, após um sermão que causou sensação, a igreja estava lotada e o pregador estava em pé na saída recebendo as muitas manifestações de louvor. (Um dos mentores de meu ministério chama esse momento de "a glorificação do verme"!) Apesar de suas tentativas de arrancar uma reação semelhante da esposa no carro a caminho de casa, ela permaneceu calada e impassível.

Finalmente, ele despejou:

— A Sra. Smith me disse que estou me tornando rapidamente um dos melhores expositores de nossa época! Fico me perguntando quantos grandes expositores existem hoje em dia.

A esposa replicou:

— Um a menos do que você pensa!

Isso se chama interpelação oportuna. Quem melhor do que a esposa ou o marido para dizer (com afeto!) o que ninguém mais dirá? Não fazemos isso para controlar o outro. Não fazemos isso para bancar o rei da montanha ou para puxar o tapete de debaixo de nosso cônjuge. Fazemos isso porque nos importamos — porque amamos a outra pessoa demais para ignorar seu pecado.

O que é uma interpelação amorosa

Chamar a atenção de alguém em relação ao pecado é o amor em ação. Considere algumas passagens da Bíblia que destacam a importância da interpelação:

> Irmãos, se alguém for vencido por algum pecado, vocês que são guiados pelo Espírito devem, com mansidão, ajudá-lo a voltar ao caminho certo. E cada um cuide para não ser tentado.
>
> Gálatas 6.1

A interpelação deve ser uma experiência gentil e humilde, não vergonhosa. Não deve haver explosões de raiva ou cólera, mas sim delicadeza, para que nós, também, não caiamos em tentação.

> As feridas feitas por um amigo sincero são melhores que os beijos de um inimigo.
>
> Provérbios 27.6

Se você é beijado por um inimigo, não está recebendo ajuda. Se você é ferido por um amigo no momento adequado, é uma prova de que é amado. Essas feridas verbais são, no fim das contas, leais, não prejudiciais.

> O castigo físico elimina o mal; essa disciplina purifica o coração.
>
> Provérbios 20.30

Todas as vezes que fui interpelado por um mentor, um amigo próximo, minha esposa ou um de meus filhos, minha vida se tornou um pouco mais pura. Em seu âmago, chamar a atenção de alguém em relação ao pecado é uma reação amorosa, gentil.

O que uma interpelação amorosa não é

A interpelação amorosa não é uma tentativa de controlar a pessoa a quem se está interpelando. A meta é provocar uma mudança que honre a Cristo na atitude ou no caminho de alguém. Nosso desejo ao chamar outrem à responsabilidade em relação ao pecado nunca deve ter o fim de forçá-lo a se adaptar ao nosso molde, julgá-lo ou humilhá-lo. Ao contrário, deve haver uma hesitação, uma relutância, que acompanha a possibilidade de uma conversa tão delicada. Não é algo que deva ser feito com ansiedade, e nunca em público.

Observe com atenção a abordagem experiente do apóstolo Paulo:

> Então não seremos mais imaturos como crianças, nem levados de um lado para outro, empurrados por qualquer vento de novos ensinamentos, e também não seremos influenciados quando nos tentarem enganar com mentiras astutas. Em vez disso, falaremos a verdade em amor, tornando-nos, em todos os aspectos, cada vez mais parecidos com Cristo, que é a cabeça.
>
> Efésios 4.14-15

O princípio orientador na interpelação é falar o que precisa ser dito com uma atitude de amor. Se você consegue fazer isso sem tristeza, talvez não deva fazê-lo. É doloroso apontar para outra pessoa a área de pecado que ela está negando ou tentando esconder. Esse tipo de interpelação penetrante é emocionalmente exaustivo; a única sensação de satisfação vem de saber que Deus usará nossas palavras para ajudar outra pessoa a ver a verdade.

Foi minha responsabilidade em várias ocasiões apontar os erros na vida de outros. Não apenas na vida de um membro da igreja, embora isso tenha ocorrido ocasionalmente. Outras vezes coube a mim a responsabilidade de interpelar um colega de ministério — às vezes até mesmo um amigo íntimo. Assim que chega a informação de alguma fonte confiável de que algo está acontecendo e eu tenha verificado suficientemente os fatos, só então me sinto forçado a enfrentar a questão (e nunca ansioso por fazê-lo). Eis o meu raciocínio: se não lidamos com o pecado, não há como medir o dano que pode ser causado ao corpo de Cristo. O risco de não dizer nada é grande demais. Além disso, meu amor por aquela pessoa me compele.

O processo é simples e direto. Encontramo-nos com a pessoa, a sós ou com outra pessoa em quem confiemos. Muitos se referiram a isso como "amor exigente". Não exige apenas da pessoa que está sendo interpelada; exige também daquele que está fazendo a interpelação. Raramente a pessoa sabe o que você tem em mente quando ocorre o encontro. O fator surpresa pode ser muito eficaz para provocar o arrependimento. Isso desempenhou papel importante quando Deus usou Natã para chamar à responsabilidade um rei talentoso, mas com defeitos — e para fazê-lo se arrepender. Voltemos àquela cena antiga e observemos o cenário enquanto analisamos o método de Natã.

Um exemplo bíblico de amor exigente

Se você vivesse durante o apogeu do reinado de Davi, teria desfrutado de imensa prosperidade — a melhor das vidas. Viver sob o governo do rei Davi seria um privilégio. Como rei de Israel, Davi nunca conheceu derrota no campo de batalha. Que maravilhoso deve ter sido viver sob o comando desse tipo de líder. O nome de Davi se tornou famoso, e o povo o reverenciava em todo lugar. Ele não só liderava bem e lutava com valentia como também compunha hinos e cânticos de adoração para o povo de Deus cantar. Davi ganhou o coração do povo ao levar a nação de Israel à vitória e à prosperidade.

Mas Davi tinha seus defeitos. Havia segredos no palácio que ninguém conhecia, exceto uns poucos que haviam jurado sigilo. O sucesso de Davi levou a terríveis consequências.

Um pouco de contexto histórico

Eis como a narrativa bíblica descreve a sequência de grandes pecados de Davi:

> No começo do ano, época em que os reis costumavam ir à guerra, Davi enviou Joabe e as tropas israelitas para lutarem contra os amonitas. Eles destruíram o exército inimigo e cercaram a cidade de Rabá. Mas Davi ficou em Jerusalém.
>
> 2Samuel 11.1

Em um momento de fraqueza, em um dia em que devia ter estado no campo de batalha com as tropas, Davi "ficou para trás". Esse longo tempo a sós e desocupado levou-o à derrocada.

A história continua...

> Certa tarde, Davi se levantou da cama depois de seu descanso e foi caminhar pelo terraço do palácio. Enquanto olhava do terraço, reparou numa mulher muito bonita que tomava banho. Davi mandou alguém para descobrir quem era a mulher. Disseram-lhe: "É Bate-Seba, filha de Eliã e esposa de Urias, o hitita".
>
> 2Samuel 11.2-3

É de se notar que, apesar da mensagem de que Bate-Seba pertencia a outro homem, Urias, o rei deu seguimento a seu plano lascivo. É natural que a gente se pergunte se o servo sabia o que estava se passando na mente de Davi.

Bate-Seba foi até o palácio, e ela e Davi foram para a cama juntos. Fizeram sexo. Foi apenas isso. Não era amor. Era simplesmente sexo bruto, lascivo. Na mesma cama onde Davi deve ter se sentado para escrever alguns dos salmos, ele cometeu o pecado horrivelmente iníquo e desonesto do adultério.

Não demorou muito tempo até Bate-Seba procurar o rei de novo para revelar que estava grávida. Esse seria o momento de Davi reconhecer o erro, confessá-lo àqueles a quem devia explicações e, finalmente, àqueles que o teriam perdoado. Poderia ter confessado seu pecado ao marido de Bate-Seba, Urias. Em pânico, ele não fez nada disso. Não orou, não clamou por misericórdia, perdão e ajuda de Deus para lidar com seu erro.

Ao contrário: a energia criativa do rei concentrou-se em planejar uma ocultação ainda mais elaborada. Ele precisava arranjar um jeito de fazer parecer que Urias era o pai do bebê em gestação. Às pressas, Davi chamou Urias de volta da batalha e serviu-lhe um maravilhoso jantar antes de insistir que Urias desfrutasse de uma noite romântica com a esposa. Sendo tão leal, Urias se recusou a ir para casa e, em vez disso, resolveu dormir no vestíbulo do rei.

Quando Davi percebeu, na manhã seguinte, que o plano havia fracassado, decidiu tentar novamente. Dessa feita, fez com que Urias se embriagasse e, pela segunda vez, insistiu que ele fosse para casa e dormisse com a esposa. Mais uma vez Urias se recusou e passou outra noite no vestíbulo. Davi perdeu a cabeça. Em uma queda livre emocional, ultrapassou todos os limites.

O pânico se transformou rapidamente em caos, que é o ambiente em que o pecado geralmente se desenvolve. Davi escreveu uma carta ordenando que Urias voltasse à batalha, mas que, dessa vez, fosse colocado na linha de frente, onde os combates eram mais intensos. Davi havia assinado uma ordem para a morte de Urias. Enviou a mensagem selada a Joabe pelas mãos do próprio Urias. Joabe obedeceu sem hesitação.

Chegou ao rei a notícia de que Urias fora morto. Bate-Seba entrou em luto pelo marido. O plano sinistro e secreto de Davi havia sido bem-sucedido.

Logo após o período de luto, Davi casou-se rapidamente com Bate-Seba. Afinal, não levaria muito tempo até a barriga dela ficar evidente. Em muito menos do que nove meses, todos no palácio e no reino sabiam do que acontecera. Mas Davi jamais confessou.

Lemos esta declaração ominosa no final de 2Samuel 11.

O que Davi fez desagradou ao Senhor.

2Samuel 11.27

Como Davi se sentia àquela altura? Leia o salmo 51. Leia o salmo 32. Nesses poderosos salmos, Davi revela o fardo que carregou durante aqueles longos meses de ocultação. Foi como se estivesse com febre. A culpa era intensa. O peso do pecado quase o levou à loucura.

Alexander Whyte, o falecido e venerável pregador escocês que serviu durante muitos anos na Igreja Livre de São Jorge, em Edimburgo, escreve estas palavras pungentes: "Como um homem como Davi pôde ter vivido esse tempo todo mergulhado até o pescoço em adultério e assassinato sem enlouquecer é algo simplesmente inconcebível [...]. Não há limite para o sacrilégio e blasfêmia da hipocrisia interna".[1]

Não obstante, Davi manteve o pecado em segredo por mais de um ano. Ninguém em seu reino sabia tudo o que havia ocorrido. De algum modo ele conseguiu viver com aquela série de atos hediondos na consciência. Até que ouviu alguém bater à porta de seu palácio.

O visitante inesperado era o profeta Natã, com uma história para contar ao grande e talentoso rei.

A clássica interpelação de um rei atormentado

A maioria de nós nunca se viu diante de um rei e, com certeza, nunca teve de interpelar um. Apesar disso Deus incumbiu Natã de cumprir essa tarefa nada invejável. Que responsabilidade!

Ele deve ter pensado muito tempo e arduamente sobre o que diria. Acho que Natã passou horas em oração, buscando a sabedoria do Senhor. Assim que se sentiu pronto, seguiu até os portões do palácio. Então, tendo saudado o rei, Natã começou a contar uma história a Davi:

> "Havia dois homens em certa cidade. Um era rico, e o outro, pobre. O rico era dono de muitas ovelhas e muito gado. O pobre não tinha nada, exceto uma cordeirinha que ele havia comprado. Ele criou a cordeirinha, e ela cresceu com os filhos dele. Comia de seu prato, bebia de seu copo e até dormia em seus braços; ela era como sua filha. Certo dia, um visitante chegou à casa do rico. Em vez de matar um dos animais de seu próprio rebanho, o rico tomou a cordeirinha do pobre, a matou e a preparou para seu visitante."
>
> Davi ficou furioso com esse homem rico e jurou: "Tão certo como vive o Senhor, o homem que faz uma coisa dessas merece morrer!".
>
> 2Samuel 12.1-5

Eu diria que essa história é um verdadeiro soco no estômago! Anos atrás, aprendi algo extremamente útil sobre a natureza e o poder das histórias com meu amigo Warren Wiersbe. Uma boa história se inicia com um quadro — algo que transforma o que estamos escutando em algo visível, que penetra em nossa imaginação. Em seguida o quadro se converte em um espelho que reflete a verdade sobre nós mesmos. O espelho então se torna uma janela, que possibilita que vejamos o Senhor operando na imagem.

Escutando Natã descrever essa cena, Davi conseguia visualizar o homem pobre e sua desesperada aflição. Conseguia ver a injustiça daquilo tudo. Davi conseguia imaginar o homem rico abatendo a cordeirinha que o pobre tanto amava, que dormia em seus braços. Visualizou a cordeirinha sendo assada e alimentando os convidados. O orgulhoso rei não conseguiu mais conter a emoção. O que ele via se transformou em fúria.

Sendo um homem de paixão, Davi explodiu de raiva. Foi então que Natã disse a Davi: "*Attah ha-ish*". Tradução? "Você é esse homem! Você é o culpado. Essa história é sobre você, Davi!"

Natã, o profeta, então se transformou em Natã, o pastor. Natã teve a terrível missão de interpelar o rei e levá-lo ao arrependimento. Observe que Natã não gritou nem berrou diante de Davi. Talvez não tenha nem mesmo erguido a voz. Não havia sinal de vergonha nas palavras de Natã. Ele simplesmente afirmou a verdade.

Até aquele ponto, Davi jamais experimentara uma derrota em batalha. Sua vida havia sido como um lado de um telhado. Subindo, subindo, subindo — de Golias até aquela tarde em que vira Bate-Seba depois da sesta. Vitória após vitória após vitória. E agora Deus parecia estar lhe dizendo: "Eu teria lhe dado muito mais, Davi. Minha graça é imensa. Você é um homem segundo o meu coração. Você era o meu representante. Você era o substituto de Saul. Não havia ninguém como você. Eu teria lhe dado muito mais".

Então Deus, por meio de Natã, fez ao rei-pastor esta pergunta sagaz: "Por que, então, você desprezou a palavra do Senhor e fez algo tão horrível?" (2Sm 12.9).

Observem como Natã caracterizou o adultério de Davi: "algo tão horrível". Não se encontra essa visão de mundo refletida na maioria das revistas, programas de TV ou páginas na internet de fofocas sobre celebridades hoje em dia. Natã deu o nome certo aos bois. Davi talvez tenha tentado racionalizar seu pecado. Ele só queria colocar Urias no calor da batalha. A espada do amonita matou Urias.

Mas não era assim que Deus via a situação:

Assim diz o Senhor: "De sua própria família farei surgir seu castigo. Tomarei suas mulheres diante de seus olhos e as darei a outro homem; ele se deitará com elas à vista de todos. O que você fez em segredo, eu farei acontecer abertamente, diante de todo o Israel".

2Samuel 12.11

Entendem o que aconteceu naquele momento? O quadro que Natã havia pintado em sua história se tornou um espelho. Não era mais o quadro de um homem rico e um homem pobre e a cordeirinha; Davi agora via o reflexo de si mesmo. Viu tudo — tudo o que mantivera em segredo e oculto estava agora visível. E aquele espelho se tornou uma janela que o levou a ver o Senhor em toda a sua santidade. Davi confessou: "Pequei contra o Senhor" (2Sm 12.13).

Quando você é chamado a interpelar alguém em pecado, e você o faz sob o comando do Deus vivo, capacitado por seu Espírito, você se sente praticamente invencível. Toda a relutância desaparece; todo o medo se esvai. Naquele momento, Natã se importava muito pouco que Davi fosse o rei. Natã não estava impressionado com as realizações do rei em batalhas, nem estava intimidado pelo grande poder, a imensa influência ou o talento musical do rei. Natã estava preocupado e impressionado com seu Deus. Ponto final. Ele tinha um trabalho a fazer, e o fez. Obedeceu, pura e simplesmente.

Natã se mostrou decidido, sabendo que estava seguindo a ordem de Senhor. Seria bom que nos lembrássemos desse princípio da próxima vez que formos chamados a confrontar alguém por seu pecado. Independentemente da reação, você ainda é o mensageiro enviado por Deus.

Uma janela para a graça

Esta foi a resposta de Natã: "Sim, mas o Senhor o perdoou". Pare já! Essa história que se tornou um quadro que se tornou um espelho que se tornou uma janela abriu-se para uma oferta de esperança para além do pecado. Isso se chama graça! Davi recebeu imediatamente a garantia do perdão de Deus.

> Natã respondeu: "Sim, mas o Senhor o perdoou, e você não morrerá por causa do seu pecado. Contudo, uma vez que você demonstrou o mais absoluto desprezo pela palavra do Senhor ao agir desse modo, seu filho morrerá".
>
> 2Samuel 12.13-14

A essa altura, Natã compreendeu que seu trabalho estava encerrado. Havia transmitido a mensagem. Os resultados estavam nas mãos de Deus. Natã havia levado a mensagem do Senhor e a comunicado de uma forma inesquecível. A partir dali, Deus assumiria.

Que belo quadro da maravilhosa graça de Deus! O trabalho de Deus, realizado do jeito dele, cumpre seus propósitos para sua glória. Gosto muito disso.

A graça abre as portas do seu coração

Ao ler isso talvez você perceba que também tem algum trabalho a fazer. Talvez essa história tenha se tornado uma janela e lhe dado uma nova visão de uma situação que esteja enfrentando. Talvez ela tenha começado a enviar de volta a você o reflexo do espelho da Palavra de Deus. Se for assim, esse trabalho é entre você e Deus. Você não responderá a mim, nem a qualquer outra pessoa na rua ou sentada do outro lado do corredor na igreja. Como Natã, escrevi este livro simplesmente como um mensageiro. É a verdade de Deus que chama todos nós à responsabilidade, independentemente de onde estejamos ou do que tivermos feito.

Mas há algo que posso lhe dizer pessoalmente: se você é aquele que está no pecado, é tempo de parar de viver uma mentira. Se Deus revelou a verdade em relação a algum pecado oculto em sua vida, você precisa confessá-lo. Plenamente. E rapidamente. Chega de ocultação. Chega de segredos. Chega de fraudes ou de racionalizar o pecado. Chega de tempo gasto para evitar a verdade. Você e seu Deus precisam se encontrar e enfrentar seja o que for que você esteja escondendo.

Quando peca e consegue se safar, você acha que está a salvo, porque Deus ainda não lhe trouxe as consequências. Aviso-o de que leve Deus a sério. Confesse o pecado. Confesse tudo aos que lhe são próximos. É bem melhor confessar a ele agora do que continuar a cair cada vez mais fundo no pecado e em suas penosas consequências. Deus abrirá uma janela de graça e renovará tudo. Então... corra o risco.

Pensamentos finais a ponderar

Não sei o que o futuro lhe reserva, e não sei como você será chamado a interpelar alguém que esteja em pecado. A interpelação não é responsabilidade apenas do ministro do evangelho; é responsabilidade de todo crente falar a verdade, dizer as palavras penosas em amor.

A propósito, os pecados perdoados continuam produzindo consequências. Apesar de Davi ter sido plenamente perdoado, seu filho mais novo morreu. Sua família enlouqueceu depois.

É uma série de consequências dolorosa de se ver. Mas Deus permaneceu generoso e usou Davi até este morrer.

Seis princípios emergem dessa história para nos ajudar a chamar os outros à responsabilidade de uma forma bíblica. Esperamos que sejam uma base confiável sobre a qual você possa construir seu próprio ministério de restauração.

1. *Deixe Deus comandar.* Lembre-se, o Senhor enviou Natã para interpelar Davi. Natã não se voluntariou por achar que ele e o rei precisavam conversar. Nem se erigiu em juiz e jurado da vida de Davi. Não, ele foi sob o comando e a direção do Senhor.
2. *Escolha o momento com cuidado.* Não é interessante que Natã não tenha ido bater à porta de Davi no dia seguinte ao caso de adultério de Davi ou dois dias após o assassinato de Urias? Ele esperou. Deixou que o tempo seguisse seu curso — provavelmente para ver se Davi se arrependeria sob a pressão interna da própria consciência. Escolha o momento de agir com cuidado. Ore. Busque a sabedoria de Deus. Peça ao Senhor que o preceda e prepare o coração da outra pessoa. Você nunca se arrependerá de escolher o momento com cuidado.
3. *Fale a verdade com amor.* A interpelação não deve vir a partir de boatos. Alguém contou para mais alguém, que depois contou a você, e você recebeu a informação em terceira mão. Se você vai falar a verdade, isso significa que não está exagerando ou supondo. A informação foi verificada, e os fatos são exatos. Se você não tem provas sólidas, não vá antes que as tenha. Fale a verdade... e faça isso em amor.
4. *Use palavras sábias.* Reflita sobre a abordagem. Peço--lhe que aplique a sabedoria de Salomão: "O conselho

oferecido na hora certa é agradável como maçãs de ouro numa bandeja de prata" (Pv 25.11). "Para quem se dispõe a ouvir, a crítica construtiva é como brinco de ouro ou joia de ouro puro" (Pv 25.12). Que suas palavras sejam tão agradáveis como maçãs de ouro numa bandeja de prata. A criativa história de Natã, por mais simples que fosse, era um ensaio de eloquência. É impressionante o cuidado com que ele a elaborou. Não havia nada supérfluo, nada exagerado. A história foi cuidadosamente formulada e sabiamente comunicada.

5. *Sempre ofereça esperança.* "O Senhor o perdoou, Davi. Você foi perdoado. Você não morrerá. Há futuro para você." Essa foi a janela de graça de Natã. Ele pintou um quadro da vida de Davi após o arrependimento. A propósito, não tenha medo de chorar. Permita que a emoção flua. Não deixe que as emoções o controlem, mas a verdadeira transparência contribui muito para derrubar as muralhas da resistência. As lágrimas podem ser poderosas no desarme. Elas dizem: "Eu te amo... me importo muito com você". Mesmo entre lágrimas, certifique-se de oferecer esperança.

6. *Deixe os resultados com Deus.* Depois de transmitir a mensagem de Deus a Davi, Natã voltou para casa. A partir daí, deixou os resultados com o Senhor. Você não precisa ser a consciência da outra pessoa durante os meses seguintes. Nem deve sentir a necessidade de colocar a pessoa em observação ou acompanhar cada gesto dela no futuro próximo. Seu trabalho está feito. Você pode continuar a orar, é claro. Mas deve estar disposto a confiar os resultados ao Senhor e seu Espírito. Ele é capaz.

Encerro com estas penetrantes palavras do saudoso Alexander Whyte:

> Pregar é um trabalho magnífico, se só tivermos pregadores como Natã [...] [com sua] coragem, habilidade, sabedoria como a de uma serpente [...]. Nós, ministros, devemos [...] estudar o método de Natã; especialmente quando somos enviados a pregar sermões de despertamento. Não devemos economizar na habilidade de formular nossas abordagens à consciência de nosso povo. A espada de Natã estava a um centímetro de distância da consciência de Davi antes que Davi soubesse que Natã portava uma espada. Um súbito golpe e o rei estava aos pés de Natã. Que crítica ao nosso trabalho relaxado, inábil e desajeitado! Quando voltamos a Natã e Davi, esquecemos e perdoamos tudo o que havia de maléfico em Davi. A única coisa que faltou para tornar aquele dia da vida de Davi perfeito foi que Natã teve de ir procurá-lo. Ora, o que tornará este o dia mais perfeito de toda sua vida será você poupar ao Senhor e seu profeta todo esse incômodo, sendo tanto o Senhor quanto o profeta para si mesmo, por assim dizer. Leia a parábola de Natã para si mesmo até dizer: eu sou essa pessoa![2]

5
E se...
alguém o chutar quando você estiver caído?

....

A Palavra de Deus para quando você
se defronta com a crítica

No exato instante em que você lê estas palavras, talvez alguém esteja jogando pedras em você. Não pedras literais, mas mísseis verbais que vêm na forma de declarações que ferem, ou críticas cáusticas, injustas.

Ao longo deste capítulo, você aprenderá a melhor forma de lidar com gente crítica — e a estratégia pode surpreendê-lo. Confie em mim: não foi o jeito que lhe ensinaram quando você estava crescendo. Não é o que seu melhor amigo lhe aconselhou. E definitivamente não é o que é retratado na televisão ou nos filmes.

Se já lhe deram um chute quando você estava caído, você não está sozinho. Todos sabemos como é quando alguém diz algo ruim sobre nós ou faz algo que nos magoa. Às vezes você consegue avaliar a fonte, dar de ombros e tocar em frente. Mas outras vezes a dor é tão profunda que não dá para seguir adiante. O que fizeram com você foi absolutamente errado — até cruel. Você foi apunhalado pelas costas, ou alguém comemorou quando sua dor era mais intensa. Dar de ombros não cura a facada.

Durante décadas, Rick Warren serviu como pastor na Saddleback Church, no sul da Califórnia. Ele não somente é um pastor muito amado, mas também é o autor do livro de sucesso *Uma vida com propósitos*. Conheço e admiro Rick há anos.

Rick e a esposa, Kay, passaram pelo horror de terem um filho de 27 anos, Matthew, que se suicidou. A dor que esse acontecimento trouxe a eles e sua família é inimaginável.

Esse filho sofria de depressão havia anos. Médicos e terapeutas lutaram em vão a fim de encontrar a medida certa de tratamento e medicação para lhe dar alívio, mas no final das contas a doença se tornou demais para o jovem suportar e, tragicamente, ele tirou sua vida.

Devido a seus livros e seu importante ministério, Rick é conhecido em todo o mundo. Infelizmente, isso também significa que ele possui inimigos. Muitas vezes, quanto mais uma pessoa é conhecida, maior o número de pessoas que a veem com olhos preconceituosos ou mesmo cheios de ódio. Enquanto passava por essa experiência terrível, no auge da profunda dor que ele e Kay vivenciavam, Rick postou um *tweet* profundamente pessoal. Suas palavras implicavam que ele e a família estavam sendo chutados cruelmente quando já estavam caídos, destruídos pela dor e o abalo. Rick expressou sua angústia em poucas palavras:

> Estar em luto é difícil. Estar em luto enquanto figuras públicas, ainda mais difícil. Estar em luto enquanto pessoas que nos odeiam celebram nossa dor é o mais difícil de tudo.

Talvez você tenha conhecido esse tipo de dor. Os detalhes são diferentes, mas você passou por essa terrível provação. Já é bem difícil cair de cara no chão... mas ver alguém celebrando seu sofrimento só faz amplificar a dor.

O golpe mais baixo pode vir quando o processo pelo qual você está passando é culpa sua. Ora, *essa* é uma dor indescritível! Além da experiência desoladora, você precisa lutar contra a enormidade da culpa e a angústia da vergonha que sente.

F. B. Meyer, um pastor britânico dos velhos tempos, descreve esse tipo de sofrimento melhor do que qualquer outro que eu conheça:

> Este é o pensamento mais amargo de todos — saber que o sofrimento de alguém não precisava ter acontecido. Saber que resultou da imprudência e falta de perseverança; que se está colhendo o que foi semeado; que o abutre que se alimenta dos órgãos vitais é um filhote que nós mesmos criamos. Ah, isso é que é dor![1]

Um lembrete doloroso das consequências do pecado

Como vimos no capítulo anterior, Davi, o rei-pastor de Israel, não ficou alheio a tal dor. Devido à sinceridade e à penetrante interpelação do profeta Natã, Davi acabou se inclinando diante do Deus celestial e reconheceu ter pecado contra o Senhor. Davi então buscou sinceramente o perdão da graça divina (ver Sl 51).

Embora Natã tenha rapidamente assegurado ao rei que ele fora perdoado, lembrou a Davi que as consequências em andamento continuariam (ver 2Sm 12.10).

E como continuaram!

A lista de penosas consequências é devastadora. Não demorou muito até que o filho de Davi, Amnom, desejasse sexualmente sua meia-irmã Tamar (filha de Davi). Amnom usou de um estratagema para atraí-la a seu quarto e então a estuprou. Absalão, irmão de Tamar, soube do que acontecera e esperou em vão que Davi castigasse Amnom. Davi nada fez. Talvez agora o rei estivesse tão acabrunhado por sua própria culpa que lhe restasse pouca energia para lidar com Amnom. Davi era um bom rei, mas um pai fraco.

Absalão, vendo que a querida irmã Tamar não estava sendo defendida nem recebendo apoio, desprezou o pai pela indiferença. Ao final, esse ressentimento levou Absalão a se voltar contra o pai — a ponto de liderar uma insurreição para derrubá-lo do trono (ver 2Sm 15). Além disso, para vingar o estupro da irmã, Absalão mandou matar Amnom.

A essa altura, Davi tivera um filho assassinado, uma filha que fora brutalmente estuprada e outro filho que estava tramando para derrubá-lo do trono. Davi acabou abdicando do trono e retirou-se para não morrer, fugindo a pé para os montes da Judeia (ver Sl 11).

Essa cena da vida de Davi é uma que poucos artistas conseguiriam retratar — talvez nenhum conseguisse. Davi, o monarca outrora vitorioso, foi humilhado. Estava destruído. Absolutamente envergonhado e "nocauteado". Aquele era o fundo do poço para Davi. Enquanto fugia do golpe impiedoso do próprio filho, Davi experimentou um último golpe devastador. Uma pessoa desprezível, que se autoproclamava crítico, saiu do esconderijo e chutou-o quando ele estava caído.

O relato brutal do ódio de um inimigo

Justo quando Davi pensou que a situação não poderia piorar, algo indizível aconteceu. Leia esta próxima cena devagar e com atenção. Ao fazê-lo, tente se colocar no lugar de Davi quando foi atacado fisicamente e insultado verbalmente.

> Quando o rei Davi chegou a Baurim, um homem do povoado saiu ao seu encontro e começou a amaldiçoá-lo. Era Simei, filho de Gera, do mesmo clã da família de Saul. Atirava pedras contra o rei, seus oficiais e os guerreiros que o cercavam. "Saia daqui,

assassino, bandido!", gritava para Davi. "O Senhor lhe está retribuindo por todo o sangue derramado no clã de Saul. Você roubou o trono, e agora o Senhor o entregou a seu filho Absalão. Finalmente está provando de seu próprio remédio, pois é assassino!"

Então Abisai, filho de Zeruia, disse: "Por que este cão morto amaldiçoa meu senhor, o rei? Dê a ordem, e eu cortarei a cabeça dele!".

O rei, porém, disse: "Quem pediu a opinião de vocês, filhos de Zeruia? Se o Senhor mandou este homem me amaldiçoar, quem são vocês para questioná-lo?".

Então Davi disse a Abisai e a todos os seus servos: "Meu próprio filho procura me matar. Não teria este parente de Saul ainda mais motivos para fazer o mesmo? Deixem-no em paz. Que ele me amaldiçoe, pois foi o Senhor que o mandou. Talvez o Senhor veja que tenho sido injustiçado e me abençoe por causa dessas maldições de hoje". Assim, Davi e seus homens prosseguiram em seu caminho. Simei os seguia pela encosta de um monte próximo, amaldiçoando Davi e atirando pedras e terra contra ele.

O rei e todos que o acompanhavam chegaram exaustos ao rio Jordão e, por isso, descansaram ali.

2Samuel 16.5-14

Simei apareceu e xingou Davi. Ele desprezava o rei. Por quê? Porque Simei falsamente encarava Davi como aquele que roubara o trono do rei Saul. Ele também acreditava que Davi era culpado de assassinar os criados e guerreiros de Saul. Não compreendia que Davi havia, generosamente, decidido não retaliar, embora Saul houvesse tratado Davi com desrespeito. Ele chegou a resistir a duas oportunidades de tirar a vida de Saul (ver 1Sm 24; 26).

Saul nunca fora inimigo de Davi. Mas Simei enfiara na cabeça que era. Em sua raiva, gritou várias maldições para Davi e sua comitiva.

Eugene Peterson capta de modo vívido esse ataque violento em *A Mensagem*:

> Quando o rei chegou a Baurim, apareceu um homem que tinha ligações com a família de Saul. Seu nome era Simei, filho de Gera. Ele os seguia insultando e jogando pedras contra Davi e seus companheiros, criados e soldados. Além dos insultos, ele o amaldiçoava, aos gritos: "Fora! Fora! Assassino! Sanguinário! O Eterno está castigando você por todos os crimes que cometeu contra a família de Saul e por tomar o reino dele. O Eterno já entregou o reino a seu filho Absalão. Olhe para você mesmo: um homem derrotado! Porque não passa de um criminoso!".
>
> 2Samuel 16.5-8

Que ofensivo! Davi já vivia com a horrível lembrança do erro de seu passado recente. Agora precisava aguentar as pedras verbais que esse homem lhe atirava. O ataque foi feio. Aqui estão as falsas acusações e mentiras que Simei lançou contra Davi:

- Davi era culpado de causar derramamento de sangue na casa de Saul. FALSO.
- Davi roubou o trono de Saul. ERRADO.
- O Senhor havia dado o trono de Davi a Absalão. PELO CONTRÁRIO.

O discurso desse homem cheio de ódio era repleto de mentiras, uma mentira após a outra.

Quando estamos com vontade de nos vingar e impulsionados pelo ódio, deturpamos facilmente os fatos. Para falar a verdade, os fatos não importam; o que importa é que tornemos miserável a vida da pessoa a quem odiamos. Que trágico

— especialmente quando nossas palavras maltratam alguém que já está abatido.

A seguir vieram duas fortes reações às palavras odiosas dirigidas contra Davi. A primeira veio de Abisai, um dos soldados de Davi. Embora Abisai fosse leal a Davi, ele era como seus dois irmãos, Asael e Joabe, conhecidos por seus temperamentos impulsivos e violentos e suas táticas cruéis.

Todos os três irmãos eram fortes como touros — principalmente Abisai. De fato, Abisai estava entre aqueles do batalhão que foram chamados de "guerreiros mais valentes de Davi" (2Sm 23.8-39). Ele era leal até fim — e duro como um rochedo.

Repare na resposta de Abisai: "Por que este cão morto amaldiçoa meu senhor, o rei? Dê a ordem, e eu cortarei a cabeça dele!" (2Sm 16.9).

Ora, essa é a reação de um sujeito inflexível. Tudo o que Davi precisava fazer era um gesto de cabeça concordando, mas não o fez. Em agudo contraste, a reação de Davi foi magnânima:

> "Quem pediu a opinião de vocês, filhos de Zeruia? Se o Senhor mandou este homem me amaldiçoar, quem são vocês para questioná-lo?"
>
> Então Davi disse a Abisai e a todos os seus servos: "Meu próprio filho procura me matar. Não teria este parente de Saul ainda mais motivos para fazer o mesmo? Deixem-no em paz. Que ele me amaldiçoe, pois foi o Senhor que o mandou. Talvez o Senhor veja que tenho sido injustiçado e me abençoe por causa dessas maldições de hoje".
>
> 2Samuel 16.10-12

Abisai deve ter ficado perplexo. Provavelmente não conseguia acreditar em seus ouvidos. Não havia moderação em seu DNA.

Deixe-me fazer uma pausa para uma observação importante: a carnalidade sempre complica as situações.

Quando reagimos a partir de nosso próprio senso de justiça ou orgulho, ou sobretudo com base na raiva, os resultados não são nada bons. A reação impulsiva de Abisai era uma reação carnal. Todos conhecemos pessoas como Abisai. Quando você está em apuros e sua vida está virando um inferno, essas pessoas como Abisai sacam contentemente afiadas facas verbais e abrem caminho a golpes em sua defesa. Embora isso possa parecer justificado, não é a linha de ação mais sábia, porque, nesse estado de espírito, elas não são sensíveis à vontade do Senhor. Agem a partir de um ponto de vista horizontal. São rápidas em reagir com raiva. São dadas a extremos vingativos, o que só piora os problemas.

Quando estamos enfraquecidos pelos ferimentos, somos tentados a escutar seu conselho. Recomendo — baseado na experiência pessoal — que resista a essa tentação. Você não se arrependerá.

Siga o exemplo da notável resposta de Davi: ele sabia que tudo aquilo estava nas mãos do Senhor, que havia sido projetado soberanamente para lhe ensinar lições duradouras e valiosas. Em vez de retaliar, Davi escolheu fazer a coisa certa.

Este é um bom lugar para fazer uma pausa e destacar alguns dos princípios da resposta de Davi.

- *Davi fez calar e conteve qualquer tipo de retaliação violenta.* Devemos aprender a fazer o mesmo. Precisamos nos lembrar de oito palavras importantes na Bíblia: "A vingança cabe a mim, [...] diz o Senhor" (Rm 12.19). Não cabe a nós, como crentes, nos vingarmos de nossos inimigos. Isso é trabalho do Senhor — feito no tempo, nos termos e no estilo dele. A maioria das pessoas é criada para dar o troco, para acertar as contas. Esse não é o caminho de Deus para seu povo.

- *Davi lembrou a seu companheiro bem-intencionado, mas precipitado, que Deus é soberano.* Deus não é quase soberano. Ele é *totalmente* soberano. Isso significa que ele reina até sobre as injustiças mais inomináveis.
- *Davi escolheu não se defender dos ataques odiosos.* Ele podia ter agido, severa e rapidamente. Davi era também um hábil guerreiro. Podia ter acabado com o inimigo em milésimos de segundo. Em vez disso, escolheu fazer a coisa certa.
- *Davi deixou a justiça nas mãos daquele que é sempre perfeitamente justo.* O calendário de Deus geralmente é muito diferente do nosso. Mas ele não é indiferente. Ele não está dormindo ao volante. Ele agirá, e será justo — a seu tempo.

Talvez você esteja em dificuldades porque se sente sozinho ao enfrentar alguém que o está chutando quando você já está caído. Se isso descreve sua situação neste momento, gostaria de lhe assegurar que Deus não deixa de ver nada! Ele não está ausente nem alheio. Apesar de às vezes parecer terrivelmente silencioso e distante (pergunte a Jó!), ele não é nada disso.

Davi reagiu a essa situação com caráter impecável e notável integridade. Em suma: Davi deixou o comando com o Senhor. Ainda assim, as críticas continuaram. Simei persistiu nos ataques virulentos a Davi. Aquilo continuou por muito tempo. Na verdade, as Escrituras dizem: "O rei e todos que o acompanhavam chegaram exaustos ao rio Jordão" (2Sm 16.14). Ataques incessantes são exaustivos.

Uma análise calma que vale a pena examinar

Se você está lutando contra a injustiça de críticas sem fundamento, sei que deve estar cansado. Sei também que não é justo. Mas, quando chegar o momento certo, o Senhor entrará em cena e resolverá a situação. É por isso que essa história da vida de Davi sobre suportar tratamento injusto é tão valiosa para nós.

Destaco duas lições duradouras e atemporais da difícil prova de Davi que podemos aplicar a nossa própria vida.

O sucesso pode torná-lo orgulhoso... ou mantê-lo humilde

Queira Deus que todos escolhamos o último. Quão poderoso era Davi? Ele foi o homem mais poderoso no reino. Quão famoso? O nome dele era familiar em Israel. Todos conheciam o rei Davi. Chegaram a chamar Jerusalém de Cidade de Davi por causa dele. Até hoje, os israelitas conhecem e admiram o rei Davi: o símbolo em sua bandeira nacional é chamado de Estrela de Davi. Quando se é tão famoso, lida-se com muita atenção indesejada. Pense nos *paparazzi* perseguindo celebridades. Os atores e atletas famosos não conseguem nem mesmo dar um passeio ou ir à esquina sem que sua privacidade seja totalmente invadida. Não podem sequer desfrutar de férias de família na privacidade. Não podem levar o bebê para passear sem que uns dez ou quinze fotógrafos inconvenientes os acompanhem, perturbando-os com os *flashes* das câmeras. Assistimos às notícias e dizemos: "Ora, por que eles não são simpáticos com os fotógrafos?". Você já se colocou no lugar de uma celebridade? Deveríamos lhes dar uma folga. Esse nível de projeção pode tornar alguém ressentido ou, como no caso de Davi, humilde.

George Whitefield foi um conhecido evangelista do século 18. J. Oswald Sanders escreve no livro *Liderança espiritual*: "George Whitefield era imensamente popular e, em seus primeiros anos, gostava dos aplausos. Ele relembrava que achava que ser desprezado era a morte e ser motivo de risos era pior do que a morte".[2] Gente famosa raramente consegue comer uma refeição sem ser interrompida. Whitefield cansou de tudo isso. Mais tarde em sua vida, depois de seu importante ministério, tendo se tornado um evangelista mundialmente famoso, ele deu esta declaração: "Tenho tido popularidade suficiente para estar cansado dela".[3] Este é um bom lembrete de que ser conhecido não é tão maravilhoso quanto se pensa.

Charles Haddon Spurgeon expressa sentimento semelhante: "O sucesso pode subir à minha cabeça, e subirá a não ser que me lembre de que é Deus que realiza a obra [...] e que ele será capaz de realizá-la por outros meios quando 'cortar minhas asas'".[4]

Essas palavras estão repletas de humildade. Davi poderia dizer o mesmo sobre si próprio. Quando se é humilde de coração, não se retribui aos ataques. Podemos aprender com todo acontecimento na vida — os bons, os maus e até mesmo os horríveis.

Ser chutado pode paralisá-lo ou incentivá-lo

Quando você está sendo chutado, a tendência natural é desistir. Convém observar que Davi não deixou que os insultos de Simei o detivessem ou o desviassem de sua missão. Continuou no caminho certo, deixando toda a vingança para o Senhor.

Todos sentimos a ferroada implacável da crítica mordaz, dos comentários invejosos e dos ataques injustos. Para piorar o problema, deixamos que esses ataques atrapalhem nosso progresso. Quando olho para trás, lembro-me de modo vívido dos tempos em que isso aconteceu em minha vida. Em uma ocasião, eu estava servindo em uma igreja onde o presidente do conselho havia se transformado em meu arqui-inimigo. Ele havia decidido garantir pessoalmente que nenhuma mudança que eu propusesse para o ministério fosse aprovada. Ele me bloqueou o tempo todo, tentou me intimidar verbalmente e chegou a me ameaçar fisicamente (era um homem de porte avantajado!). Suas críticas e oposição incansáveis às vezes me deixavam exausto, desencorajado e pronto a desistir. Mas Deus foi fiel. Permaneceu a meu lado e, por sua graça e misericórdia, ajudou-me a seguir adiante. Aprendi a simplesmente colocar aquele indivíduo nas mãos do Senhor e a continuar andando.

A paralisia espiritual não ajuda ninguém. Quando deixamos os resultados para Deus, como fez Davi, podemos substituir a tristeza pela esperança. Portanto, se algum Simei o está chutando quando você já está caído, encontre conforto seguindo os passos de Davi. A última coisa que você deve fazer é tirar férias da vida! Este é um ótimo momento para se lembrar de que você ainda é necessário. Você ainda está desempenhando um papel. Sua família precisa de você. Sua esposa ou marido precisa de você. Seu pastor e o povo de Deus precisam que você vá em frente, haja o que houver.

Meu amigo David Roper escreve, no belo livro *A Burden Shared* [Uma carga compartilhada], sobre o impacto devastador do desencorajamento sobre pastores e líderes de ministério:

> Frequentemente medito sobre a situação aflitiva de meus amigos que estão fora do ministério, não por causa do chamado de Deus,

mas por causa das críticas das pessoas. A desaprovação, expressa a partir de suas congregações, caiu sobre eles como chuva ácida, corroendo-lhes a vontade de servir. Entendo por que desistem. Sinto muito por eles [...].

Às vezes as críticas são injustas: somos agredidos por homens e mulheres que nutrem expectativas irreais sobre nós, que não percebem que nós também somos fracassados que carecem de perdão. Ou talvez eles tenham um interesse pessoal na questão: querem desviar a culpa de si mesmos. Ou talvez representem um grupo de poder na igreja e se ressintam de nossa liderança. Criticam-nos porque isso faz com que se sintam melhor consigo mesmos.[5]

Roper então oferece os seguintes comentários sobre críticas injustas — comentários que devo ter lido mais de trinta vezes:

- A crítica sempre vem quando menos precisamos dela.
- A crítica parece vir quando menos a merecemos.
- A crítica vem de pessoas que são as menos qualificadas para fazê-la.
- A crítica frequentemente vem em uma forma que é a menos útil para nós.[6]

Você pode ficar paralisado pelo ataque ou deixar que ele impulsione sua jornada. O rei Davi se deixou estimular por ele, e levou seus homens a seguirem seu exemplo. Ele e seus homens "prosseguiram em seu caminho". Vamos fazer o mesmo.

Se quiser responder devidamente a críticas injustificadas, aqui estão quatro sugestões práticas sobre como fazer isso.

1. *Peça a Deus que torne você mais resistente.* Essa é uma excelente oração, especialmente para quem deseja ser líder no ministério. Você já caminhou em uma região

coberta de espinhos? Aposto que não usou chinelos de dedo, não é? Você usou as botas mais resistentes que possuía, com as solas mais grossas. Mesmo assim, alguns espinhos podem furar a sola. Quando estamos lidando com gente espinhosa, precisamos ter uma couraça. E o mundo está repleto de gente espinhosa (especialmente o mundo ministerial!).

Considere este versículo, que me serviu bem durante minhas mais de cinco décadas de ministério: "Os que amam tua lei estão totalmente seguros e não tropeçam" (Sl 119.165). Em outras palavras, eles possuem uma couraça. As pessoas que confiam a vida, o caráter e a reputação ao Senhor dormem bem à noite. Não se ofendem com facilidade. Não se perturbam com críticas mesquinhas. Dão de ombros a esses comentários e seguem em frente. Dedicar a vida a ler a Palavra de Deus e meditar sobre ela não apenas aprofundará sua fé, mas também o tornará mais resistente!

2. *Lembre-se de que Deus está plenamente consciente e empenhado, mesmo quando invisível e silencioso.* Davi assegurou a seus homens que o Senhor estava com eles em suas lutas. Ele está bem no meio do seu suplício também. Você precisa crer nisso e ter muita consciência da presença do Senhor. É fácil se esquecer disso quando se está sendo atacado. Porém, lembre-se: Deus está empenhado, porque ele é soberano durante as 24 horas de todos os dias durante todo o ano.

3. *Confie que a graça de Deus resolverá tudo.* Talvez o Senhor veja o que está acontecendo e lhe traga pleno alívio. Lembra-se das palavras de Davi? "Talvez o Senhor veja que tenho sido injustiçado e me abençoe por causa

dessas maldições de hoje" (2Sm 16.12). Chamo isso de "pensamento de graça". Confie na graça de Deus quando lida com pessoas como Simei.

4. *Encontre conforto ao descansar na misericórdia de Deus.* A misericórdia é o ministério de Deus aos infelizes. Sente-se, recline-se e descanse na misericórdia dele. Nas Escrituras há uma referência ao lugar de expiação (ver Êx 25.22). Podemos nos encontrar com Deus lá!

Muitos anos atrás, meu irmão mais velho, Orville, estava atravessando um tempo difícil, penoso. Não me lembro dos detalhes, mas ele estava chorando. Ele foi até o piano e se sentou. Virou-se para mim e falou:

— Charles, quero tocar um hino muito antigo. Talvez você nunca o tenha escutado.

Eu não havia escutado mesmo. Ele acrescentou:

— Gostaria que escutasse para que você e eu pudéssemos cantá-lo juntos.

Fizemos isso. Desde aquele dia, aprendi — e passei a amar — aquele belo hino antigo, mesmo que ele seja raramente cantado hoje em dia.

> *Ó meu irmão, se tens grandes tormentos,*
> *Lembra-te, então, de Deus, teu Protetor;*
> *Ele te livrará desses lamentos;*
> *Só ele pode sarar tua dor.*[7]

Não são adoráveis essas palavras? Não há dor que Deus não possa curar. Como Davi, podemos nos sentar e descansar. Nós, também, podemos encontrar cura na misericórdia de Deus.

Não sei o que o futuro reserva a você ou sua família. Sei que você encontrará um Simei após o outro neste mundo perverso.

Existem muitas pessoas assim, e geralmente aparecem quando você está abatido. Você precisará da misericórdia do Senhor para suportar. Felizmente, a misericórdia que vem a nós em Cristo flui de modo ilimitado. É inesgotável e está disponível a nós quando confiamos nossa vida e futuro a ele somente.

Ele te livrará desses lamentos;
Só ele pode sarar tua dor.

6
E se...
você precisar de uma segunda chance?

A Palavra de Deus para quando você experimenta o fracasso

Ao longo da vida, sempre precisaremos de segundas chances. Como seres humanos imperfeitos e falíveis, fracassamos regularmente e às vezes quebramos a cara. Não uma vez, nem duas, mas seguidamente, sentimos necessidade de recomeçar. Temos dificuldade em conseguir acertar da primeira vez. *Queremos* acertar. Gostaríamos de fazer certo na largada e daí em diante, mas teríamos de ser sobre-humanos para fazer isso. Parte de sermos humanos é precisar de segundas chances. Isso já remonta à nossa infância.

Situações familiares em que segundas chances ajudaram

Desde nossos primeiros anos, aprendemos com os erros que cometemos. Lembra-se de aprender a segurar um copo de leite sem o derramar? Meu pai dizia: "Será um grande dia de sucesso quando esta família puder fazer uma refeição sem um copo de leite ser derramado".

Aprendemos limpando tudo, sendo perdoados e recebendo uma segunda chance. Tropeçamos e caímos enquanto aprendemos a andar. O mesmo acontece quando aprendemos a andar de bicicleta. Começamos hesitantes, usando rodinhas de apoio. Ao final, conseguimos andar sem as rodinhas... mas aí batemos no meio-fio. Treinamos dia após dia até, finalmente, aprender. Depois de dias de tentativa e erro, conseguimos nos equilibrar e dirigir.

Outras segundas chances são de natureza mais séria. Contamos uma mentira e sofremos as consequências quando somos apanhados. Mas aprendemos do jeito mais difícil que a verdade sempre é o melhor caminho.

Sem receber uma segunda chance, jamais nos aperfeiçoaríamos ou dominaríamos novas habilidades. Nenhum casamento duraria sem que marido e esposa dessem um ao outro segundas chances. Quase tudo o que aprendemos foi alcançado cometendo erros no processo.

Aprendi a dirigir no Ford 1939 do meu avô. Mas primeiro aprendi a dirigir um trator atrás do chalezinho junto à baía onde nossa família passava as férias. Em determinado momento, meu avô achou que eu estava pronto para passar ao volante de um automóvel. Logo descobriu que havia mais detalhes envolvidos nessa transição do que ele esperara.

Eu estava dirigindo razoavelmente bem. Mas então ele falou:

— Muito bem, Charles, agora vamos guardá-lo na garagem.

A abertura da garagem parecia mais estreita do que a largura do pequeno carro que eu estava dirigindo. CRÁS! Detonei com o para-choque direito; nunca vou me esquecer.

Quando comecei a chorar, vovô disse:

— Ora, tudo bem... Dê uma ré. Tente de novo.

— Sinto muito, vovô.

Ele pôs a mão em meu ombro:

— Sabe de uma coisa, filho? Posso comprar outros para-choques, mas não tenho como arranjar mais netos como você. Tente outra vez.

Foi uma experiência de aprendizado monumental. Ele me deu uma segunda chance.

Quando queremos desenvolver a habilidade de falar em público, começamos fazendo isso errado da primeira vez e recebemos uma segunda chance — e uma terceira, e muitas outras chances. Gradualmente, começamos a pegar o jeito. É assim que aperfeiçoamos uma habilidade.

O mesmo vale para tocar um instrumento musical ou aprender a cantar bem. Ou escrever em um *blog*. Ou distinguir-se em um esporte. Você aprende fazendo errado e escutando os conselhos de seu técnico, que o ajudam a se tornar cada vez melhor. Você persevera. Fracassa e aí aproveita a segunda chance. A vida está repleta desses momentos críticos.

O mesmo vale para vocações e carreiras. Você aprende a liderar recebendo uma segunda chance. Você se torna um bom médico, um bom dentista ou um bom advogado dessa forma — e, com certeza, um pai paciente. Com o tempo, aprende a se tornar uma mãe ou pai cuidadoso e afetuoso. Aprende tentando, falhando e tentando de novo. No entanto, em toda a jornada da vida, você precisa de pessoas dispostas a lhe oferecer a graça de uma segunda chance.

Quando a vida encontra a misericórdia

Quando nos referimos a segundas chances, estamos na verdade nos referindo a oferecer *perdão*. Às vezes há um ponto cego que precisa ser identificado. Ou há uma falácia no entendimento de alguém a quem precisamos dar um leve cutucão ou fazer um questionamento em particular. Um espírito clemente dá aos outros o benefício da dúvida.

Às vezes nós mesmos estamos cegos para essas coisas, e outros precisam nos dar uma segunda chance.

É o caso deste ministro, que era vulnerável o suficiente para escrever estas palavras verdadeiras:

> Eu era um homem muito zangado. O problema era que eu não sabia que era um homem zangado. Achei que ninguém tivesse uma visão mais precisa de mim do que eu mesmo, e eu simplesmente não me via como zangado. Não, não me considerava perfeito, e, sim, sabia que precisava de outros em minha vida, mas vivia como se não precisasse. Luella, minha querida esposa, foi muito fiel durante um longo período chamando minha atenção para essa raiva. Ela o fazia com uma mistura de firmeza e graça. Nunca gritou comigo, nunca me xingou e nunca me repreendeu na frente de nossos filhos. Repetidas vezes ela me fez ver que minha raiva não era justificada nem aceitável. Ao me lembrar do passado, fico maravilhado com o caráter que ela demonstrou durante aqueles dias muito difíceis.[1]

Todos precisamos de gente ao nosso redor disposta a nos ajudar a perceber o problema e nos perdoar, e depois nos ajudar a seguir em frente. A meta é aperfeiçoamento e crescimento.

O outro lado da moeda é que às vezes alguém age de modo deliberadamente errado e não se dispõe a mudar. É aí que oferecer segundas chances se torna difícil. Nessas situações, é um verdadeiro desafio permanecer casado ou continuar a demonstrar compreensão e perdão a um filho adulto ou um colega de trabalho ou empregado difícil. Ou talvez seja você que esteja deliberadamente tornando infeliz a vida dos que o cercam.

É aí que o fracasso desempenha papel vital. É aí que a vida se encontra com a misericórdia, que o fracasso se vê diante da graça.

Felizmente, a Palavra de Deus nos ajuda fornecendo um exemplo de vida real de alguém que fracassou e então recebeu uma segunda chance. É uma daquelas cenas na Bíblia que nos impele a entrar na história.

Um exemplo da igreja do primeiro século

A história clássica de segunda chance no Novo Testamento envolve o apóstolo Paulo, seu companheiro de viagens Barnabé e um jovem aprendiz chamado João Marcos.

O texto de Atos 13 descreve uma igreja que fora estabelecida em um lugar chamado Antioquia. A nova igreja estava prosperando a tal ponto que estava prestes a enviar líderes espirituais a outros lugares como missionários.

> Entre os profetas e mestres da igreja de Antioquia da Síria estavam Barnabé e Simeão, chamado Negro, Lúcio de Cirene, Manaém, que tinha sido criado com o rei Herodes Antipas, e Saulo. Certo dia, enquanto adoravam o Senhor e jejuavam, o Espírito Santo disse: "Separem Barnabé e Saulo para realizarem o trabalho para o qual os chamei".
>
> Atos 13.1–2

Inicialmente, três decisões importantes levaram a essa interessante situação:

- O Espírito de Deus destacou Barnabé e Saulo para uma tarefa especial (ver At 13.2). Eles iniciariam a primeira jornada missionária.
- A igreja de Antioquia jejuou e orou, e então enviou esses dois homens com sua bênção (ver At 13.3).

- Barnabé e Saulo (agora chamado Paulo) resolveram levar com eles um jovem chamado João Marcos (ver At 13.5).

A mensagem era clara. Deus tinha uma missão, e planejara enviar aqueles dois homens a lugares que nunca haviam escutado a verdade de Cristo. Aqueles dois homens deveriam executar a missão de Deus.

A igreja de Antioquia estava prosperando. Durante um culto de adoração, o Espírito Santo falou e instruiu a igreja a incumbir Barnabé e Saulo de lançarem uma missão para pregar o evangelho aos gentios. Dois dos cinco líderes de ministério foram removidos dessa igreja saudável e benéfica, e enviados em missão. Eles fizeram as malas. Reuniram-se para refletir. Planejaram a viagem e então zarparam para a ilha de Chipre.

Porém, antes de partirem, diz o fim do versículo 5, tomaram uma decisão: "João Marcos os acompanhava como assistente". A palavra traduzida como "assistente" é a mesma sobre a qual falamos no capítulo 3, referindo-se a um *escravo* ou *servo*, a palavra que significa literalmente "remador inferior" em grego. Isso evoca a imagem de um escravo, acorrentado a um poste nos porões de um navio, remando com força contra as ondas. João Marcos acompanhava esses dois homens como um remador de porão. Foi por isso que Deus o enviara com eles. Ele deveria desempenhar um papel "nos porões", por assim dizer — assistindo aqueles dois homens nos bastidores.

Um ato de deserção

João Marcos era filho de uma mulher chamada Maria, que possuía uma casa em Jerusalém. A nova igreja se encontrava na casa de Maria, e João Marcos cresceu com o ensinamento sadio dos crentes na casa da mãe. Naqueles dias, os encontros da igreja aconteciam em casas, porque era ilegal adorar a Cristo em público. A casa de Maria era um lugar maravilhoso, de calorosa irmandade cristã e ensinamento bom e forte, e João Marcos cresceu nesse ambiente (ver At 12.12).

O Espírito Santo incumbiu Barnabé e Paulo de iniciarem a jornada missionária em nome da igreja da Antioquia. João Marcos, que era também primo de Barnabé (ver Cl 4.10), partiu em viagem com eles. Navegaram rumo a Chipre (que era o lugar natal de Barnabé) e começaram a pregar e ensinar a Palavra de Deus nas sinagogas judias daquela região (ver At 13.5).

Depois navegaram para o norte e chegaram à região de Panfília e à cidade de Perge, que ficava junto a uma costa escarpada. Doenças assolavam aquela região. De fato, não era incomum que as doenças chegassem lá transmitidas por mosquitos. Doenças terríveis como a malária se espalhavam rapidamente entre povos vulneráveis.

Talvez durante a estadia em Perge, um dos homens ficou muito doente. O problema de Paulo com o "espinho na carne" pode ter começado lá — não sabemos. Mas eles suportaram condições difíceis, muitas vezes perigosas, durante as pregações. Lembre-se: o jovem João Marcos estava com eles nesse cenário árduo. Isso foi só o início dos desafios que eles enfrentaram. Assomando à frente deles estavam os penhascos denteados dos Montes Tauro, um complexo montanhoso onde é agora o sul da Turquia, separando a região costal do Mediterrâneo, no sul da Turquia, do platô da Anatólia, ao centro. Uma perspectiva intimidante os aguardava, sem dúvida, enquanto se preparavam para escalar aqueles montes, carregando todos seus suprimentos na esperança de alcançar os gentios do outro lado das montanhas.

Foi na base daqueles montes, com os penhascos denteados sobressaindo diante deles, que as Escrituras declaram que "João Marcos os deixou" (At 13.13). Literalmente, João Marcos tomou a decisão de "se retirar". Como ele fez isso, não somos informados.

Talvez ele tenha fugido no meio da noite, envergonhado demais para confessar o medo de prosseguir. Talvez Barnabé e Paulo tenham encontrado seu saco de dormir vazio. Seja como for, quando acordaram na manhã seguinte, João Marcos tinha partido. Parece ter havido um caráter súbito em sua decisão de voltar a Jerusalém.

Um pai da igreja dos primeiros tempos chamado Crisóstomo especula sobre a deserção de João Marcos, indagando-se se "o rapaz sentiu saudades da mãe".[2] Ninguém sabe. Não obstante, essa partida abrupta sobrecarregou os outros dois homens. Eles agora tinham um par de ombros a menos para enfrentar as intimidantes montanhas da Panfília.

João Marcos os estava ajudando a carregar o peso. Eram necessárias provisões de tamanho considerável quando um grupo viajava tão longe quanto eles estavam viajando. Aquela era uma árdua jornada, com exposição frequente a intempéries. O transporte provavelmente incluía jornadas nos cascos apertados de navios mercantes, e seria de se esperar que houvesse racionamento rigoroso de comida e água, sem mencionar febre e doenças pelo caminho. Talvez tudo isso tenha pesado sobre o jovem João Marcos até ele finalmente sucumbir às pressões. Seja qual for o motivo, ele abandonou os homens que precisavam de sua ajuda.

É interessante que João Marcos não volte a ser mencionado no registro restante dessa primeira jornada missionária. Talvez Barnabé tenha ficado constrangido pelo fato de o primo inexperiente ter se mostrado fraco em um momento tão crítico da missão. Quem sabe — João Marcos pode ter dito coisas a Barnabé que ele não quis contar a Paulo. Tudo isso é especulação, já que as Escrituras silenciam a respeito

A essa altura Paulo era o líder da viagem de missão. O texto não menciona mais "Barnabé e Paulo"; agora é "Paulo e Barnabé" ou "Paulo e seus companheiros". Ele era claramente o líder.

Será que a mudança de liderança foi difícil para João Marcos? Ele concordou em ir pensando que o primo seria o líder. As coisas mudaram. Então ele se retirou... Ele os abandonou.

Apesar disso, a jornada prosseguiu. Paulo e Barnabé persistiram até completar a missão, e depois reaparecem tomando parte do Concílio de Jerusalém (ver At 15.2-4).

A volta a Antioquia

De volta a Antioquia, os dois homens contaram à igreja tudo o que havia acontecido. Além disso, eles deveriam ajudar a resolver questões doutrinárias em relação a alguns ensinamentos equivocados sobre circuncisão. Devido à seriedade dessa questão, Paulo e Barnabé foram novamente enviados de Antioquia, dessa vez a Jerusalém, para ajudar a esclarecer o problema (ver At 15.4-30).

O conflito acabou sendo resolvido, mas o apóstolo Paulo começou a pensar sobre o bem-estar dos novos crentes gentios que haviam sido convertidos durante sua jornada missionária inicial. Lucas, o autor de Atos, registra estas palavras de Paulo a Barnabé: "Voltemos para visitar cada uma das cidades onde pregamos a palavra do Senhor, para ver como os irmãos estão indo" (At 15.36).

O texto acrescenta então um detalhe significativo: "Barnabé queria levar João Marcos" (At 15.37). Isso levou a um sério conflito. Continuemos: "Paulo se opôs, pois João Marcos tinha se separado deles na Panfília, não prosseguindo com eles no trabalho. O desentendimento entre eles foi tão grave que os dois se separaram" (At 15.38-39).

Vale a pena observar o contraste entre essas duas atitudes para com João Marcos. Na opinião de Barnabé, João Marcos precisava de uma segunda chance. É assim que funcionam a vida e o ministério, lembra-se? Mas a sugestão dessa "segunda chance" não foi bem aceita por Paulo.

Em resultado, houve conflito... e a discórdia chegou a um ponto explosivo. Na verdade, Lucas usa uma palavra grega no texto que transmite a ideia de "uma explosão de discórdia". Foi o que caracterizou a resposta de Paulo ao desejo de Barnabé de levar João Marcos junto. A reação de Paulo é compreensível. Afinal, a maioria de nós diria: "De jeito nenhum! Não vamos levar um desertor conosco. Ele falhou conosco da primeira vez. Não dá para confiar num sujeito que abandona a gente quando surge uma dificuldade. Jamais faremos isso!".

Porém Barnabé não desistiu. Lucas escreve: "Barnabé queria levar João Marcos" (At 15.37). Barnabé concordou com a sugestão de uma segunda jornada e quis levar João Marcos junto.

O tempo verbal usado para o desejo de Barnabé de levar João Marcos junto indica uma ação continuada. Em outras palavras, Barnabé "insistiu continuamente". Barnabé gostava de João Marcos. Queria lhe dar uma segunda chance. Paulo, em contrapartida, não queria nem saber daquilo. Recusou-se. Aquilo nunca iria acontecer!

Ora, como podia haver tal discórdia entre duas pessoas que buscavam seguir a orientação do Senhor? Pare e pense. Em toda discussão, geralmente há dois pontos de vista: um é objetivo, e o outro é subjetivo. Um se concentra nos sentimentos e nas pessoas — no caso, o de Barnabé. O outro se concentra em princípios e questões — o de Paulo. As reações opostas combinam com suas personalidades. Barnabé era um homem de percepção e grande compaixão. Paulo aprendeu a ser mais compassivo também, mas, àquela altura de seu ministério, era decidido e inflexível.

Além disso, Paulo era mais novo na fé. Ele não tinha interesse em levar junto um homem que falhara com ele no ministério. Barnabé, que Deus o abençoe, queria dar a João Marcos uma segunda chance. Paulo replicou, em essência: "Não vamos fazer isso de jeito nenhum". De fato, as Escrituras dizem: "Paulo se opôs, pois João Marcos tinha se separado deles na Panfília" (At 15.38).

O verbo grego *aphistemi* pode ser traduzido como "desertar" e significa literalmente "afastar-se de". É uma palavra forte, carregada de intensa emoção. Poderia também ser traduzida como "apostatar", significando "deixar ou renunciar". É linguagem forte, e revela a oposição veemente de Paulo a que João Marcos os acompanhasse na missão seguinte.

Era claro que Paulo estava olhando para trás, relembrando a falha de João Marcos, enquanto Barnabé olhava para a frente, pensando no potencial do jovem. Consegue ver a cena?

Um escritor elaborou uma conversa imaginária que poderia ter ocorrido entre os dois missionários:

Paulo: João Marcos? Não podemos levá-lo conosco. Ele falhou conosco da última vez.

Barnabé: Mas isso foi da última vez.

Paulo: É provável que falhe de novo. Ele é um desertor.

Barnabé: Ele teve tempo para pensar no que fez. Precisamos lhe dar outra chance. [Aí está a segunda chance!] Ele tem as características de um grande missionário.

Paulo: Diga-me, Barnabé, não é só porque ele é seu primo que você quer levá-lo de novo?

Barnabé: Não é justo. Você sabe que já tentei ajudar muitas pessoas que não são minhas parentes. Estou convencido de que o rapaz precisa de compreensão e encorajamento. Ele pode ser um grande evangelista um dia.

Paulo: Precisamos de alguém que possa resistir a perseguições, a multidões furiosas, agressões, talvez até prisão. Nossa equipe precisa ser unida, absolutamente confiável. Como podemos confiar em um rapaz que falhou conosco como Marcos? Não, Barnabé. Lembre-se da palavra do Mestre: "Quem põe a mão no arado e olha para trás não está apto para o reino de Deus" (Lc 11.62).

Barnabé: Conversei com ele sobre o erro que cometeu. Tenho certeza de que ele não desertará de novo. Recusar isso a ele pode causar um dano espiritual no momento de seu arrependimento. Será como esmagar a cana quebrada, apagar a chama que já está fraca (Mt 12.20).

Paulo: É cedo demais para confiar nele.

Barnabé: Paulo, lembre-se de quão cedo eu lhe dei uma chance logo após sua conversão. Os apóstolos estavam com medo de você, achando que você estava fingindo a conversão para se infiltrar na igreja de Jerusalém. Eu não o coloquei à prova antes. Prefiro não manter Marcos esperando. Responsabilizo-me por ele agora.[3]

Isso é o que eu chamo de um clássico impasse!

Lucas afirma: "O desentendimento entre eles foi tão grave que os dois se separaram. Barnabé levou João Marcos e navegou para Chipre. Paulo escolheu Silas e partiu, e os irmãos o entregaram ao cuidado gracioso do Senhor" (At 15.39-40).

Outrora parceiros próximos no ministério, Paulo e Barnabé estavam agora separados. Eles eram os melhores entre os melhores, escolhidos pelo Espírito Santo para assumir a tarefa de alcançar aqueles que nunca haviam sido alcançados antes. Eles haviam orado juntos, sangrado juntos, sonhado juntos, pregado juntos, comido juntos, sido feridos juntos. Entretanto, por causa de uma discórdia, se separaram.

Que forte discórdia! A palavra grega usada aqui é *paroxusmos*. A palavra *paroxismo* vem dessa palavra usada no Novo Testamento. Os dicionários definem *paroxismo* como "uma emoção ou ação violenta súbida; uma explosão".

Vamos fazer uma pausa e absorver a cena.

Não sei se você já teve uma discussão como essa antes. Talvez você seja de uma família em que ninguém jamais ergue a voz. Ou talvez seja de uma família que discute em voz alta e com frequência. Não me lembro de jamais ter ouvido minha mãe e meu pai erguerem a voz um para o outro. Ah, eles às vezes ficavam zangados conosco, os filhos — e com razão. Mas fui criado em um ambiente bastante tranquilo. Talvez você não tenha sido. Mas o que ocorreu no caso de Atos foi uma súbita explosão de emoção intensa, pura e simplesmente.

Posso lhe dizer que, quando adulto, tive explosões desse tipo. Tinha convicções tão profundas que estava disposto a entrar em combate com outra pessoa que sustentava a posição oposta. Talvez agora mesmo você esteja separado de alguém devido a um paroxismo desse tipo em sua vida.

Eis a questão: Qual deles estava certo? Barnabé ou Paulo? Não responda rápido demais. Pense objetivamente.

Talvez alguém diga: "Se você segue o instinto, com certeza Barnabé era um homem compassivo. Ele estava certo!".

Mas antes que você fique tolerante e benevolente demais, imagine que alguém tenha lhe pedido cinquenta dólares emprestado e nunca devolvido. E se essa pessoa voltar e lhe pedir mais? O que você faria? Estaria disposto a perdoar e dar à pessoa uma segunda chance?

Existem algumas coisas que podem fazer alguém recuar e dizer: "Calma aí. Espere um minuto. Precisamos de mais tempo aqui. É preciso que haja algumas mudanças antes que isso possa acontecer".

É aí que estava Paulo. Ele estava focado no passado. Barnabé, por sua vez, tinha claramente os olhos no futuro.

No útil livro *O Apóstolo*, John Pollock escreve:

> Deve ter acontecido algo de muito errado em uma situação que fez com que o amável e plácido Barnabé usasse palavras ásperas, e Paulo ainda tinha muito a caminhar até chegar a escrever: "O amor é paciente e bondoso [...]. O amor não exige que as coisas sejam à sua maneira".[4]

Lembre-se, Barnabé era de Chipre. Então, após o conflito, eles viajaram para Chipre, a ilha que era sua terra natal. Provavelmente ele disse a João Marcos: "Vamos voltar a Chipre. Lá encontraremos um grupo de pessoas que vão nos entender. Minha família não age dessa forma".

É interessante que Paulo também tenha ido em frente. Escolheu outro companheiro de viagem (Silas) e seguiu para a Síria a fim de iniciar a segunda jornada missionária (ver At 15.40).

No plano soberano de Deus, a proclamação do evangelho prosseguiu. Chegou até a se multiplicar em consequência desse conflito intensamente pessoal. Nessa separação, descobrimos lições importantes que podemos aplicar quando enfrentamos o cenário real e prático de precisar de uma segunda chance.

Algumas orientações para os dias de hoje

Este é o momento de ver onde nos encaixamos nessa história extremamente pessoal.

Vamos nos colocar no lugar dessas pessoas e adaptar os detalhes do primeiro século para a situação do mundo em que você e eu vivemos hoje. Pare e pense em alguém com quem você tenha tido um desentendimento.

Antes vocês se sentiam tão próximos, mas agora, por causa de um forte conflito, há um distanciamento embaraçoso, até uma separação de caminhos. Conheço o sentimento — isso aconteceu com algumas pessoas em minha vida. Não as vejo como inimigas, mas acho difícil me sentir realmente próximo delas.

Acho que algumas questões são fortes demais para as superarmos, então às vezes as segundas chances são questionáveis. Será que você deve oferecer uma segunda chance àquela pessoa? Será que você deve receber uma segunda chance quando precisar?

Sem dúvida, cada situação apresenta circunstâncias atenuantes. A vida não é tão preto e branco quanto gostaríamos que fosse. Geralmente há matizes de cinza.

É óbvio que devemos perdoar uns aos outros. Mas é possível perdoar e não dar uma segunda chance? E se dermos uma segunda chance, estaremos transmitindo a mensagem de que a ofensa não foi tão grande assim? Se não dermos uma segunda chance, será que não estaremos tornando a situação pior?

Gostaria de sugerir quatro linhas mestras para ajudá-lo a lidar com situações complexas como essas. Essas dicas são ainda mais úteis quando é você que deve decidir se alguém precisa de uma segunda chance.

Envide esforços para ver o ponto de vista do outro

A passagem do Novo Testamento que me vem à mente foi escrita pelo apóstolo Paulo, um dos principais atores no drama das segundas chances. Ele escreve: "Não sejam egoístas, nem tentem impressionar ninguém. Sejam humildes e considerem os outros mais importantes que vocês. Não procurem apenas os próprios interesses, mas preocupem-se também com os interesses alheios" (Fp 2.3-4).

É isso o que significa considerar o ponto de vista do outro. Quando se tem convicções profundas, como Paulo e Barnabé tinham, isso é uma das coisas mais difíceis de fazer. Mas é preciso se esforçar para ver a situação pelos olhos do outro. O acordo só vem quando você está disposto a fazer isso — ou, pelo menos, quando está aberto a alguma forma de acordo. Para isso, você precisará de muita graça. Precisará também de paciência. Certamente precisará de objetividade. Precisará engolir o orgulho e entender que sua opinião pode não ser a resposta certa para essa situação. Isso é verdade especialmente quando você se coloca no lugar da outra pessoa.

Busque um acordo inteligente

Devo a Leslie Flynn o desenvolvimento desse princípio, sobre o qual ele escreveu no excelente livro *Great Church Fights* [Grandes lutas da igreja]. Nas palavras dele:

Será que Paulo ou Barnabé, ou ambos, poderiam ter chegado a um acordo razoável? Ceder não significaria uma heresia, pois não havia nenhuma doutrina envolvida. Será que Paulo poderia ter dito: "Vamos dizer-lhe que está sob observação; se ele não se sair bem no primeiro mês, nós o mandaremos de volta para casa". Ou talvez Barnabé pudesse ter feito concessões: "Precisamos mesmo de trabalhadores dedicados em nossa equipe; vamos atribuir a Marcos uma tarefa menor para ver como ele se sai. Enquanto isso, vamos iniciar nossa jornada e, se nos disserem que ele está se mostrando apto, podemos chamá-lo a se juntar a nós depois".

Ou será que poderiam ter concordado com um plano de emergência? "Vamos levar João Marcos, mas também outros. Se Marcos nos desertar de novo, teremos outros para nos apoiar."[5]

Quando considerar se deve oferecer uma segunda chance a alguém, aconselho-o a pensar de modo criativo. Se você é uma pessoa que nunca cede, acabará se tornando um indivíduo terrivelmente solitário. Então, se ambos os lados dispõem de excelentes razões, busquem um acordo inteligente.

Aprendi, ao longo de muitos anos de vida familiar, que estabelecer acordos é um ponto essencial para se manter casado. Se você não tem interesse em estabelecer um acordo, por favor, não namore! Nem pense em se casar!

Quando se ama o bastante para superar o conflito em vez de ir embora furioso

Em linguagem atual, não aperte o botão de "encerrar chamada" no telefone, nem caia fora bufando de raiva! Não envie aquele texto cheio de palavrões! Essas reações nunca ajudam a melhorar a situação. Verdade seja dita, elas só pioram o problema. Esse não é o jeito de cristãos maduros lidarem com um conflito. Faça o possível para resolver a questão. Pode ser difícil e, vamos reconhecer, você pode não conseguir chegar a uma resolução pacífica. Existem situações em que é preciso tempo para que as consequências sigam seu curso, e dar uma segunda chance não é o plano sábio de ação.

Quando eu era adolescente, meu pai me encorajou a trabalhar depois do horário escolar. Encontrei um bico de meio período num empório local. Eu trabalhava nos fundos como empacotador, arrumando produtos que depois seriam exibidos nas prateleiras. Eu era só o empacotador, e o Sr. Hubbard, o gerente, confiava em mim. Eu ficava lá nos fundos com toda a mercadoria.

Certo dia, deparei com várias caixas de bolas de softball novinhas. *Muito mais bolas de softball do que a loja precisa*, pensei. Então roubei uma caixa de bolas. A propósito, ladrões que roubam uma caixa de alguma coisa não são muito espertos. Enquanto estava voltando para casa de ônibus, percebi que precisava guardar as bolas em algum lugar na minha casa onde não pudessem ser vistas. O problema era que minha mãe era onisciente *e* onipresente. Imaginei que seria seguro escondê-las na cômoda do meu quarto. É claro que me esqueci de que minha mãe lavava as roupas. Antes que as aulas terminassem no dia seguinte, a caixa foi parar na minha cama com um bilhete em cima: "Espere até seu pai voltar para casa".

Pensei em pular para dentro de um trem de carga rumo ao sul do México naquele dia! Comecei a explicar a ela:

— É sério, eu ia devolver tudo. Nunca usei nenhuma delas.

Ela não quis nem saber. Expressou seu profundo desapontamento e reiterou o aviso:

— Espere até seu pai voltar para casa.

Bem, naquela noite, Átila, o huno, voltou para casa. Sério, eu tenho um pai maravilhoso. Mas ele não queria nem ouvir falar de seus filhos serem ladrões. Então, na manhã seguinte, ele me colocou no carro e seguimos até a loja. Entrei e levei a caixa de bolas para o Sr. Hubbard. Lá estava eu, humilhado e culpado. Lágrimas me corriam pelo rosto enquanto confessava meu crime. Quando voltei para o carro, meu pai me perguntou como eu havia me saído com o Sr. Hubbard.

— Ele me demitiu — contei, em um suspiro choroso.

— Ótimo — respondeu meu pai. — Você vai aprender cedo na vida, filho, que, quando se é um ladrão, há graves consequências. Fique feliz que ele só tenha feito isso. Podia ter mandado prendê-lo.

Fomos para casa em silêncio. Eu ainda estava chorando quando entramos na garagem. As bolas de softball já não pareciam tão divertidas. Quando entrei em casa, fui para meu quarto e decidi permanecer lá pelo resto da vida.

Depois de algum tempo, escutei uma batida à porta do quarto. Meu pai entrou, postou-se ao lado de minha cama e falou:

— Filho, vamos conversar.

Conversamos, e eu aprendi uma lição inestimável, não apenas sobre a importância de falar a verdade e não roubar, mas que sempre há consequências quando a gente apronta uma dessas.

Se meu pai me tivesse dado uma segunda chance de imediato, isso não teria me feito nenhum bem. Àquela altura, eu não precisava de uma segunda chance; precisava sofrer as consequências de meu delito.

Meu pai anunciou:

— Você pode conseguir outros trabalhos. A propósito, talvez você não queira mencionar que trabalhava na loja do Sr. Hubbard. — Ele sorriu e passou o braço ao redor de meus ombros. — Ora, vamos a um restaurante mexicano. Vou levar a família para jantar fora.

Fiquei pensando: *Ele vai me deixar ir?* Ele deixou. Naquela noite, ele fez o máximo para que, antes que eu fosse para a cama, soubesse o quanto ele me amava.

Essa é uma história simples, mas foi uma lição de que nunca me esqueci. Quando surgem as tentações, eu me vejo relembrando imediatamente aquela experiência com meu pai e o Sr. Hubbard. Aquela lição de "não haverá segunda chance" ficou gravada em minha mente e minha consciência — para sempre. Exerceu um impacto duradouro.

Concordar em discordar sem se tornar desagradável

Quando não se consegue chegar a uma resolução e você precisa discordar, tente não se tornar *desagradável*. Não guarde rancores. Não leve seu ódio por alguém ao túmulo. Lembre-se, o pano de fundo de tudo isso é o perdão. Em termos de perdão, *sempre* cabe a você agir. *Sempre*. O perdão é necessário quer haja reconciliação, quer não. Mas há algumas situações em que pode resultar um bem de uma separação.

- Alguns casamentos não devem perdurar — casamentos em que há abusos e a ameaça muito real de assédio aos filhos e até de morte do cônjuge. Quando a vítima nesse tipo de casamento reconhece a ameaça, ela (ou ele) deve fazer algo a esse respeito.
- Algumas escolas excelentes foram formadas porque se separaram de escolas que haviam começado a se desgastar teologicamente ou a se desviar biblicamente. O próprio seminário onde estudei surgiu devido ao conflito com uma denominação já consolidada que não

respeitava mais a infalibilidade das Escrituras nem dava muita importância às doutrinas de expiação substitutiva e do nascimento virginal de Cristo. Tornou-se necessário um seminário em que essas excelentes doutrinas teológicas fossem ensinadas e defendidas inabalavelmente contra a maré crescente do liberalismo e secularismo.

- Algumas igrejas saudáveis brotaram de igrejas que antes haviam sido fortes, mas estavam perdendo o rumo. A igreja começou a abandonar o compromisso bíblico, e a Palavra de Deus não era mais ensinada como deveria ser. O culto havia se tornado raso e superficial. Àquela altura, outra igreja foi formada — uma que mantinha os alicerces bíblicos. Os fiéis não jogaram pedras na outra igreja; simplesmente se transferiram para o caminho que julgavam ser verdadeiro.
- Algumas parcerias comerciais precisam ser rompidas. Quando se percebe que não se pode continuar em uma situação conflituosa, é preciso seguir um rumo diferente. Se vocês não compartilham mais os mesmos valores e compromissos com integridade e trabalho de equipe nos negócios, uma separação vem bem.

Confie em mim, há momentos em que algo que parece uma perda é, na realidade, mais uma libertação. Se isso acontecer, seja maduro o suficiente para perceber que Deus pode escolher abençoar o indivíduo ou grupo do qual você escolher se separar. Gosto muito dessas palavras do finado Dr. Bob Cook: "Deus reserva o direito de usar pessoas que discordam de mim".

À medida que você cresce e amadurece em Cristo, desenvolverá a capacidade de entender que a vida não é sempre como preferimos que seja. Deixamos uma boa parte à misteriosa vontade de Deus.

Há um toque de tragédia em separações. Ao mesmo tempo, há sempre sinais do misterioso plano de Deus se desenvolvendo.

É melhor oferecer graça àqueles que mais precisam. Pode não demorar muito até que você ou alguém a quem você ama se torne a pessoa que fará a pergunta: "E se eu precisar de uma segunda chance?".

7
E se...
você lutar contra uma deficiência?

A Palavra de Deus para quando você está
enfrentando um problema sério de saúde

A segunda epístola de Paulo aos coríntios é a mais autobiográfica. Nessa epístola, o "apóstolo da graça", como costuma ser chamado, escreve com uma vulnerabilidade e abertura sem reservas. Em toda grande vida há profundezas que outros podem observar e admirar, mas a que apenas uns poucos têm acesso. Sem dúvida Paulo está entre os maiores líderes que já viveram, o que nos deixa curiosos para saber o que lhe dava tamanha maturidade. Nós nos perguntamos sobre a fonte da amplitude de sua sabedoria, seu contentamento elevado e sua capacidade para exercer a graça.

A grandeza de Paulo não foi resultado de talento, grande intelecto ou ensino por mentores esplêndidos. Surpreendentemente, sua grandeza veio da própria fraqueza e inadequação, provocadas pela dor excruciante de uma grave deficiência que Paulo identificava como "um espinho na carne" (2Co 12.7).

O lado negativo desse espinho era o tormento implacável que ele trazia. O lado positivo era que ele impedia que Paulo ficasse orgulhoso e arrogante. A dor que ele suportava libertava-o do orgulho egoísta. Levou-o à importantíssima descoberta que a maioria das pessoas deixa de reconhecer: "quando sou fraco, então é que sou forte" (2Co 12.10).

Graças ao espinho, Paulo aprendeu que a graça de Deus é suficiente, o que o levou a aceitar a verdade que a maioria das pessoas ignora durante toda a vida — a saber, que o "poder [de Deus] opera melhor na fraqueza" (2Co 12.9).

A luta da autossuficiência

Ao longo dos anos, observei que há pelo menos três tipos de pessoas que parecem ser o que poderíamos chamar de "superqualificadas", ou extremamente autossuficientes.

O primeiro tipo seria o daquelas que são *extremamente inteligentes* — indivíduos cuja mente é rápida e esclarecida. Se você se encaixa nessa categoria, então adora fazer testes, porque vai acertar todas as respostas. Você tem compreensão rápida, memória notável, inteligência aguda e QI elevado. É fácil para uma pessoa muito inteligente parecer esperta, competente e confiante.

O segundo tipo é formado por aqueles indivíduos que são *extremamente talentosos*. São pessoas que se sobressaem como artistas, músicos, escritores, compositores, escultores ou oradores. Eles desfrutam de talentos que se aproximam do extraordinário, muito além das habilidades de uma pessoa "média".

O terceiro grupo é o daqueles que parecem *profundamente religiosos*. Essas pessoas parecem viver no reino do ultrassagrado, exalando um ar de autossuficiência e representando uma espiritualidade de uma profundeza que os outros raramente atingem. Alguns são especialistas em comunicar as Escrituras. Outros alegam passar horas em oração e contemplação. Exibem grande fé e um vasto conhecimento de Deus.

Por favor, entenda, não há nada intrinsecamente errado com nenhum desses traços que acabo de descrever. Pode não parecer justo para o resto de nós, mas não há nada de errado com isso!

O perigo de ter um talento ou uma capacidade incomum é que tais habilidades podem resultar em um imenso orgulho. Esse orgulho pode, então, cegar o indivíduo para a realidade. É fácil tais pessoas esquecerem que nada do que somos, temos ou podemos fazer se origina de nós.

Considere dois lembretes bíblicos:

> O que vocês têm que Deus não lhes tenha dado? E, se tudo que temos vem de Deus, por que nos orgulharmos como se não fosse uma dádiva?
>
> 1Coríntios 4.7

> Toda dádiva que é boa e perfeita vem do alto, do Pai que criou as luzes no céu. Nele não há variação nem sombra de mudança.
>
> Tiago 1.17

Se você é talentoso intelectualmente, você não deu a si mesmo essa mente. Pode ter continuado sua educação e a refinado, mas não obteve esse grande intelecto sozinho. Deus o deu a você.

Da mesma forma, você não deu a suas mãos e dedos a habilidade de pintar quadros, esculpir em argila ou lançar uma bola em uma espiral perfeita. Você não deu a si mesmo a incomum habilidade e coordenação mão-olho para executar uma delicada ablação cardíaca nos confins estéreis de uma sala de cirurgia. Essa habilidade veio de cima — do Senhor.

Se você possui uma percepção espiritual especial, não foi você que deu a si mesmo esse interesse profundo ou essa perspicácia teológica rigorosa. Isso, também, é dádiva de Deus.

Devo observar aqui que os espinhos na carne aparecem em uma grande variedade de formas. Talvez sua luta seja de natureza física. Ou talvez você lute contra a depressão ou ansiedade. Talvez você mesmo não esteja lutando, mas alguém a quem você ama ou com quem se importa convive com uma deficiência física. Ou talvez seu filho ou sua filha tenha autismo ou seja um soldado ferido que lida com Transtorno de Estresse Pós-Traumático. Seja qual for a situação, Deus entende, e oferece sua graça suficiente e sua força capacitadora.

Como Deus nos permite confiar na força dele, ainda que você mesmo possa ser extraordinariamente capaz?

Eis a resposta bíblica (e você não vai gostar dela): Ele nos envia ou permite que passemos por provas e testes — e, às vezes, até mesmo deficiências permanentes — para nos levar a uma posição de completa dependência dele.

Deus usa a dor e a fragilidade advindas de nossas limitações físicas ou emocionais, inclusive penosas provações, para quebrar nosso espírito de autonomia. Essa é uma verdade que algumas pessoas nunca aprendem. Todavia, aqueles que aprendem frequentemente se tornam indivíduos notáveis.

Deus usa instrumentos quebrados para compor música incomparável.

Deus usa instrumentos quebrados

Muitos consideram o violinista e compositor Niccolò Paganini o maior violinista de todos os tempos. O virtuoso italiano do século 19 revolucionou a técnica violinística e estabeleceu o padrão para os violinistas modernos. Entretanto, em meio a essas realizações, ele não deixou de sofrer com deficiências e profundas lutas pessoais.

Durante uma apresentação especialmente memorável, Niccolò Paganini postou-se diante de uma sala lotada e tocou uma peça bastante difícil. Uma orquestra inteira o cercava, oferecendo-lhe poderoso apoio. De repente, uma das cordas do violino de Paganini se rompeu e ficou pendurada no instrumento. Gotas de suor brotaram de sua testa. Paganini fez uma careta, mas continuou a tocar, improvisando o tempo todo, belamente, com apenas três cordas.

Então uma segunda corda arrebentou. Pouco depois, o mesmo aconteceu com uma terceira, fazendo com que três cordas ficassem penduradas no violino de Paganini. Apesar de tudo isso, o virtuoso terminou de tocar a difícil peça na única corda remanescente. A plateia aplaudiu de pé e, em bom estilo italiano, preencheu a sala com berros e gritos: "Bravo! Bravo!".

Quando o aplauso cessou, o violinista pediu à plateia que se sentasse. Sem esperar um bis, eles se sentaram de novo.

Paganini ergueu o violino para que todos o vissem. Ele fez um gesto de cabeça para o maestro iniciar o bis, e então virou-se outra vez para a multidão. Com um brilho nos olhos, o violinista sorriu e anunciou:

— Paganini... *e uma corda*!

Então ele colocou o Stradivarius de uma corda sob o queixo e tocou o bis em uma corda enquanto a plateia (e, devo acrescentar, o maestro!) sacudia a cabeça, admirada.

Gosto dessa história por muitas razões. Uma delas é que ela me lembra de outra pessoa incrível que, apesar de enormes limitações, conseguiu a maravilha e graça de tocar a vida em apenas uma corda.

Em seu ótimo livro, *Um lugar de cura*, a autora cristã, pintora, compositora e tetraplégica Joni Eareckson Tada escreve estas poderosas palavras:

> Seja quais forem as cordas rompidas em nossa vida — se nos concentrarmos, se aplicarmos nossos conhecimentos —, ainda conseguiremos tocar belas músicas com o que nos resta. Na

verdade, será uma música que ninguém mais consegue tocar do mesmo modo.

Essa é uma lição que aprendi em uma cadeira de rodas durante muitos anos — e tenho tido de reaprender nesses dias (e noites) de dor persistente. Às vezes é preciso usar o que restou e extrair da vida algo novo e diferente. A vida se torna uma recomposição, uma série de novos acordes.

Se me permite uma analogia, as pessoas com sérias deficiências não são violinos comuns, e Deus não faz em nossa vida apresentações comuns.

As pessoas que sofrem com ferimentos debilitantes, doenças terminais ou aflições físicas crônicas não são instrumentos musicais de orquestra comuns. Não conseguimos fazer tudo o que as pessoas de corpos plenamente capazes conseguem fazer com sua força, mobilidade e vitalidade físicas. É preciso uma habilidade especial para extrair música de um instrumento quebrado, e aquele que o faz merece reconhecimento e glória.

Deus é quem faz isso.

Deus é quem encontra beleza incomparável e produz música sem igual usando os instrumentos mais inesperados e improváveis.[1]

Um exemplo clássico: o apóstolo Paulo

Esse pano de fundo nos prepara para o testemunho desse apóstolo tão célebre, mas deficiente: Paulo. Raramente se escuta esse adjetivo ligado ao nome dele, mas é verdade. De fato, deveria ser ligado ao seu nome e ao meu, pois todos somos deficientes de uma forma ou de outra.

É verdade que algumas pessoas são mais obviamente deficientes do que outras. Mas, lá no fundo, todos nós lutamos com nossas limitações ou deficiências. Se não estamos lutando agora, só precisamos esperar, porque nossa vez virá, com certeza. Se nos lembrássemos disso, nunca exaltaríamos demais outras almas neste mundo, pois perceberíamos que elas são, também, companheiras de luta.

Apesar disso, é tentador exaltar o apóstolo Paulo. Não apenas ele é um exemplo clássico de alguém com elevada inteligência, grande talento e profunda espiritualidade, mas também se encontra entre os líderes de ministério mais eficazes na história da igreja — se não o mais eficaz.

O currículo religioso de Paulo é capaz de fazer frente a qualquer outro na história. Suas credenciais são impressionantes; seu histórico, imaculado; suas realizações, extraordinárias; seu entendimento doutrinário, profundo. Considere as próprias palavras de Paulo sobre suas qualificações singulares:

> É necessário prosseguir com meus motivos de orgulho. Mesmo que isso não me sirva de nada, vou lhes falar agora das visões e revelações que recebi do Senhor. Conheço um homem em Cristo que, há catorze anos, foi arrebatado ao terceiro céu. Se foi no corpo ou fora do corpo, não sei; só Deus o sabe. Sim, somente Deus sabe se foi no corpo ou fora do corpo. Mas eu sei que tal homem foi arrebatado ao paraíso e ouviu coisas tão maravilhosas que não podem ser expressas em palavras, coisas que a nenhum homem é permitido relatar.
>
> 2Coríntios 12.1-4

Essa declaração singular sobre o encontro sobrenatural de Paulo nos céus revela vários aspectos de sua vida notável.

Um homem de privilégios insuperáveis

Paulo experimentou "o terceiro céu" em primeira mão. Ele chamou esse lugar de "paraíso" e depois voltou à terra para falar sobre isso. Que privilégio insuperável!

Quantas pessoas você conhece que já foram levadas ao terceiro céu? Eu não conheço nenhuma. Muita gente alega ter tido experiências extracorpóreas, e alguns chegam a contar histórias de ter ido ao paraíso e voltado. Alguns obtiveram contratos de publicação lucrativos e subsequentes direitos autorais sobre filmes baseados em sua história. Entretanto nada em nosso mundo moderno soa tão verdadeiro quanto essa experiência descrita por Paulo.

Além disso, Paulo demonstrou um comedimento inacreditável ao não divulgar sua experiência ao mundo. Guardou a experiência para si durante quatorze anos. Não teve nenhum desejo de comercializar seu êxtase, nenhum interesse em usar seus privilégios em benefício próprio ou promover a própria celebridade. Se ele tivesse vivido nos dias de hoje, duvido que houvesse anunciado o lançamento de seu próprio aplicativo "Terceiro Céu" para o celular.

Um homem de humildade incomum

Talvez o mais notável na reação de Paulo a essa experiência sobrenatural seja que nada disso lhe subiu à cabeça. Ao contrário, ele escreveu: "Da experiência desse homem eu teria razão de me orgulhar, mas não o farei; na verdade, minhas fraquezas são minha única razão de orgulho" (2Co 12.5).

Que maravilhoso (e raro) é isso!

O que fez com que Paulo evitasse se gabar dessa experiência incomum? Por que ele não saiu divulgando sua história? Por que não alardeou sua santidade? Ele nos conta em suas próprias palavras:

> Se quisesse me orgulhar, não seria insensato de fazê-lo, pois estaria dizendo a verdade. Mas não o farei, pois não quero que

ninguém me dê crédito além do que pode ver em minha vida ou ouvir em minha mensagem, ainda que eu tenha recebido revelações tão maravilhosas.

2Coríntios 12.6

Na verdade, Paulo estava dizendo: "Não quero que ninguém pense alguma coisa de mim além do que escuta de mim, ou vê em minha vida".

Como ele conseguiu permanecer tão humilde, tendo aquele tipo de experiência inigualável? A resposta: uma deficiência. Foi isso que manteve Paulo tão extraordinariamente humilde. A luta que ele enfrentava a cada dia o forçou a não confiar em si mesmo, mas no Senhor.

Paulo continua: "para evitar que eu me tornasse arrogante, foi-me dado um espinho na carne, um mensageiro de Satanás para me atormentar e impedir qualquer arrogância" (2Co 12.7).

Paulo escreveu que lhe foi dado um *skolops* ("espinho") na *sarki* ("carne"). Falando cruamente: "Deus me incapacitou". Consequentemente, Paulo convivia com uma dor excruciante.

Um homem com uma dor irremediável

De acordo com o dicionário, *incapacitar* significa "tornar incapaz". Considere a lista de sinônimos úteis:

- aleijar
- desabilitar
- inabilitar
- inutilizar
- tornar impotente

A palavra grega que Paulo usou para descrever seu espinho foi *skolops*, termo usado apenas essa vez em toda a Bíblia.

Não era um espinho etéreo; era uma dor pungente, penetrante na carne. Em outras palavras, era algo físico.

A maioria dos estudiosos entende que essa palavra se refere a uma estaca literal que é enfiada no corpo. Isso poderia incluir o empalamento, uma forma antiga de tortura e execução. A dor de que Paulo falava era esse tipo de dor insuportável, capaz de levar a vítima ao delírio.

O estudioso do Novo Testamento William Barclay escreve:

> A própria palavra "estaca" indica uma dor quase selvagem. A imagem que temos diante de nós é de sofrimento físico [...]. Mas o mais provável é que Paulo sofresse de ataques crônicos recorrentes de certa febre malária virulenta que assolava as costas do Mediterrâneo oriental. [...] Alguém que sofreu com essa febre descreve a dor de cabeça que a acompanha como "uma barra incandescente atravessando a fronte". Outro descreve "a dor triturante e perfurante nas têmporas, como a broca de um dentista" [...], e diz que, quando a dor se tornava aguda, "chegava ao ponto extremo da resistência humana".[2]

Não deixe de observar o comentário adicional de Paulo ao descrever o espinho: era "um mensageiro de Satanás" (2Co 12.7). A referência de Paulo a esse espinho como um mensageiro de Satanás alude ao fato de ele também incluir um aspecto torturante — algo que o esgotava continuamente em termos físicos, mentais e emocionais.

Sabemos como é se sentir atormentado pela dor — quer a nossa própria, quer a de alguém a quem amamos. A infelicidade incessante que muitas vezes acompanha uma doença crônica, cuidar de uma criança com necessidades especiais ou atender às necessidades diárias de um cônjuge que sofre de

Alzheimer pode nos reduzir a escombros se a situação é grave o bastante e se prolonga o suficiente.

Para alguém tão brilhante intelectualmente, de grande talento e espiritualmente profundo quanto Paulo, os golpes o deixaram completamente entregue às mãos do Senhor. Sabemos disso pelas próprias palavras de Paulo:

> Em três ocasiões, supliquei ao Senhor que o removesse, mas ele disse: "Minha graça é tudo de que você precisa. Meu poder opera melhor na fraqueza".
>
> 2Coríntios 12.8-9

Vemos aí um homem lidando com uma dor irremediável, orando seguidamente para que ela fosse removida.

Um descrente pode escutar isso e imediatamente supor que Deus é cruel. Mas tal reação é superficial, ignorante e desprovida de fé. Deus é bom demais para ser cruel. Seu plano é grande demais para torturar alguém. Seres humanos torturam seres humanos, mas Deus não tortura pessoas. Seu plano é profundo, e ele sabe o que é necessário para atingir o objetivo. Sabe também com o que está lidando.

O poder de Deus se torna perfeito na fraqueza humana. Essa foi a experiência de Paulo, e pode ser a nossa também.

Um homem de poder paradoxal

A experiência do apóstolo Paulo com o espinho na carne nos fornece o que eu chamo de "teologia da fraqueza". Essa realidade emerge da resposta que o Senhor dá três vezes à súplica de Paulo para que lhe remova a dor: "Minha graça é tudo de que você precisa. Meu poder opera melhor na fraqueza" (2Co 12.8).

O grande paradoxo é que o poder divino se realiza por meio da provação da fraqueza. Esse poder é derivado da graça e bondade todo-suficientes de Deus. Quando aceitamos a fraqueza, o poder de Deus e a obra sustentadora de sua graça flui para dentro e, em última análise, através de nossa vida.

Isso precisa ser repetido: O poder de Deus flui através de nossa fraqueza. Deus diz, na verdade: "Reivindique sua fraqueza. Agarre-se a ela. Caminhe nela. Revista-se dela. Permaneça firme nela".

Quando você se defronta com um espinho cotidiano na carne, não sofrerá mais a tentação da autossuficiência. O orgulho já não o atormentará, pois a fraqueza vence a arrogância.

Talvez uma luz espiritual e teológica tenha penetrado na mente de Paulo quando escutou do Senhor uma terceira vez: "Não... Não... Não!".

Naquele momento, Paulo pode ter dito a si mesmo: *Finalmente entendi. Não aprendi essa lição dos rabis quando estava na escola. Não aprendi com o aplauso de meus companheiros fariseus ou dos colegas que me admiravam. Não a aprendi quando alcancei meus objetivos e cheguei ao mais alto nível de elevação religiosa.*

Nenhum dos sucessos anteriores de Paulo o ajudou a aprender a suficiência da graça de Deus. Ele a aprendeu com a estaca torturante. Ele a aprendeu com o abatimento que vinha da dor — com aquela angústia implacável, impiedosa que ele suplicava que o Senhor removesse. Finalmente, ele aprendeu a aceitá-la.

Eugene Peterson nos conduz a uma melhor compreensão dessa passagem em sua paráfrase:

> Por causa da grandiosidade daquelas revelações, para que eu não ficasse orgulhoso, recebi o dom de um obstáculo, que me mantém

em contato permanente com minhas limitações. O anjo de Satanás fez o melhor que pôde para me derrubar, mas o que conseguiu foi me pôr de joelhos. Sem chance que eu ande de nariz empinado e orgulhoso! No princípio, eu não pensava nele como um dom, e pedi a Deus que o removesse. Repeti o pedido três vezes; então, ele me disse:

Minha graça é o bastante; é tudo de que você precisa.
Minha força brota da sua fraqueza.

Assim que ouvi isso, achei melhor me resignar. Desisti de ficar pensando na limitação e comecei a apreciar o dom. Foi uma oportunidade para que a força de Cristo trabalhasse na minha fraqueza.

2Coríntios 12.7-9, MSG

Paulo recebeu uma visão da "teologia da fraqueza" a partir do próprio Senhor. Reconheceu que o poder de Deus se evidenciava ao máximo em sua fraqueza. Assim, Paulo declarou:

Portanto, agora fico feliz de me orgulhar de minhas fraquezas, para que o poder de Deus opere por meu intermédio. Por isso aceito com prazer fraquezas e insultos, privações, perseguições e aflições que sofro por Cristo. Pois, quando sou fraco, então é que sou forte.

2Coríntios 12.9-10

Assim que compreendeu, o pensamento de Paulo se transformou. *É a graça. A graça que me sustenta. A graça de seguir em frente. A graça de suportar.*

Pense nisso: Paulo nunca menciona o espinho ao relatar os detalhes de suas múltiplas jornadas e esforços de ministério junto às igrejas. Ele não escreve sobre isso na carta aos

Romanos nem nas epístolas aos Gálatas, Efésios ou Filipenses, nem aos crentes de Colossos. Ele não chega nem a aludir ao assunto na carta inicial aos Coríntios, no texto à igreja de Tessalônica ou quando escreve aos jovens *protégés*, Timóteo, Tito e Filemom. Faça você mesmo a busca — não há nenhuma menção a isso.

O que lemos são instruções humildes e conselhos maduros de um homem que está vivendo a vida e servindo ao Senhor. Ele está tocando em uma só corda enquanto as outras três estão rompidas, penduradas e desativadas.

Creio que essa lição do espinho é uma das realidades mais notáveis e potencialmente modificadoras da vida em toda a Bíblia. Ela emerge da história de um homem que foi libertado do risco da autossuficiência por meio do espinho da fraqueza, que lhe trouxe uma dor excruciante e tornou sua autossuficiência frágil sob o peso de uma deficiência permanente.

Que poderosa lição Paulo aprendeu em sua provação de sofrimento! Talvez haja lições lá para você também.

Quando os espinhos ferem a autossuficiência

É o que tínhamos a dizer sobre Paulo. Agora escrevo a você. Escrevo especialmente àqueles que precisam levar a vida com deficiências ou que servem como cuidadores daqueles que lutam com severas limitações.

Semana após semana, na igreja onde sirvo, no Texas, vejo-me diante de uma multidão de rostos, muitos dos quais estão lutando para assimilar essa verdade transformadora. Mais uma vez, de que se trata? De que a força de Deus é revelada em nossa fraqueza — em nossos medos, em nossas dificuldades, em nossa dor e em nossas limitações.

Se você ou alguém em sua vida se encontra nessa categoria, quero oferecer esperança. Essa esperança vem na forma de três sugestões que, a meu ver, poderão ajudar a voltar sua mente e coração na direção da mente de Cristo e começar a mudar seu ponto de vista.

Primeiro, olhe para o alto...

Com isso quero dizer: volte o coração para o Senhor. Considere isto: o que você está suportando é parte do plano generoso e amoroso dele para fazê-lo confiar completamente nele. Ele quer que você experimente a maravilha de sua graça e poder todo-suficientes.

Do ponto de vista de Deus, sua dor ou a dor do seu amado, inclusive suas limitações, não é acidente. Aceite o fato de que esse desafio veio de Deus, ou pelo menos foi autorizado por ele para atraí-lo para ele. Deus tem um plano que está além de sua capacidade de compreender. Isso o liberta da amargura ou de achar que sua situação é fruto do acaso. Isso também possibilita que você seja libertado da tortura de uma mentalidade constante do tipo "e se...". Isso também o liberta dos efeitos paralisantes de buscar alguém a quem culpar por sua aflição e dor. Olhar para o alto, para Deus, remove o desejo de apontar o dedo com raiva e ressentimento para culpar alguém.

A seguir, olhe para dentro...

Isso lhe permitirá ver a dificuldade como amiga, não inimiga. Essa compreensão pode ser um alívio misericordioso, lembrando-o da graça de Deus e ensinando-lhe novas dimensões de seu amor. Uma vez que você comece a pensar dessa forma, uma alegria inexplicável substituirá cada toque de autocomiseração.

Outras pessoas em sua vida podem esperar que você seja amargo por não conseguir se mover como os outros, porque não consegue usar os braços ou porque a ansiedade o impede de conservar um bom emprego. Mas, quando você entende que a graça de Deus é tudo de que precisa, consegue silenciar essas influências negativas e aceitar plenamente a fraqueza.

A deficiência, sua luta eterna, pode ser a plataforma que Deus usa para exibir seu poder. Deixe-me repetir: a deficiência não precisa ser inimiga; pode, na verdade, se tornar amiga.

Finalmente, olhe além...

Concentrar os pensamentos para além da situação presente estimula uma nova esperança no que está por vir. Ao contrário de mirar nos espinhos atuais, focalize o perfume final. A esperança é como o perfume das rosas na roseira. De repente, você estará cercado por aquela fragrância, e o aroma diminuirá sua angústia. Você só notará os espinhos raramente, porque está encantado com o belo perfume que o cerca.

Poucas virtudes são mais encorajadoras do que a esperança. Considere essas palavras edificantes de alguém que aprendeu a se concentrar no Senhor em vez de nas lutas da limitação humana:

> Portanto, uma vez que estamos rodeados de tão grande multidão de testemunhas, livremo-nos de todo peso que nos torna vagarosos e do pecado que nos atrapalha, e corramos com perseverança a corrida que foi posta diante de nós. Mantenhamos o olhar firme em Jesus, o líder e aperfeiçoador de nossa fé. Por causa da alegria que o esperava, ele suportou a cruz sem se importar com a vergonha. Agora ele está sentado no lugar de honra à direita do trono de Deus.
>
> Hebreus 12.1-2

Talvez o peso de que você precisa se livrar a fim de correr sua corrida de fé com perseverança seja a amargura que abriga em relação a Deus devido a seu espinho na carne. Está zangado com ele por permitir a deficiência ou por lhe dar um filho que luta contra a depressão? Está deixando essa amargura se infeccionar e intensificar? Duas palavras podem resgatá-lo e aliviá-lo: *deixe ir*.

Já não é hora de se livrar da amargura, da raiva, dos comentários cáusticos e da atitude egoísta que o têm mantido refém há tantos anos? Em vez de se concentrar nos espinhos, deixe que o perfume que emana da esperança que você tem em Cristo o inunde. Abrace as dificuldades como dádivas de Deus, como fez minha amiga Joni!

Peço-lhe que aceite o que aconteceu, que veja os desafios de suas circunstâncias de uma perspectiva renovada. O Senhor pode lhe trazer cura. Ele pode livrá-lo da vastidão hostil da amargura em que você tem vagado por tanto tempo.

Seja qual for sua dificuldade, aceite-a como uma dádiva de graça da mão do Senhor. Não a veja como uma inimiga, mas como uma amiga que o conduz a um lugar de humildade e beleza, àquele lugar onde você pode florescer como uma rosa em um mundo que anseia pela mensagem que você pode criar. Não se agarre com tanta força a *seus* planos para sua vida. Deixe de lado *sua* vontade. Deixe ir, deliberadamente. Então veja o Senhor exibir sua graça e poder por meio de você. Você ficará surpreso!

8
E se...
alguém for um encrenqueiro incorrigível?

A Palavra de Deus para lidar com pessoas difíceis

Todo crente é chamado a ser esperto como a serpente e simples como a pomba (ver Mt 10.16).

Precisamos tanto de um coração terno quanto de uma pele grossa. Não um ou outro, mas ambos. Tanto devotado quanto disciplinado. Tanto compassivo quanto decidido. Tanto tolerante quanto exigente. Tanto generoso com as pessoas quanto impenetrável às críticas destrutivas. Precisamos demonstrar genuíno amor e delicada piedade, e ao mesmo tempo não aceitar ser controlados ou manipulados por ninguém.

Conservar esse equilíbrio não é fácil. Embora devamos ser afáveis, também devemos ter discernimento suficiente para perceber quando o embuste está presente e saber quando deve ser enfrentado. Desordeiros geralmente se escondem e fomentam a desunião nas igrejas e outras organizações ministeriais. Como dizia um de meus mentores: "Onde há luz, sempre há insetos".

Em algum ponto da vida, todos teremos de lidar com alguém que provoca a discórdia intencionalmente. Se você é um líder (quer tenha um título oficial, quer não), tem a responsabilidade adicional de garantir que essa pessoa difícil não dissemine veneno para o resto do grupo.

Dois fatos realistas sobre líderes

Há duas coisas que não devemos esquecer quando lidamos com pessoas difíceis.

Aqueles que lideram são grandes alvos

Sempre que um líder forte está realizando um bom trabalho de liderança e executando as mudanças necessárias, pode estar certo de que esse líder vive com um alvo gigantesco e invisível colado ao peito.

J. Oswald Sanders escreve sobre isso no clássico livro *Liderança espiritual*: "Aspirar à liderança no reino de Deus requer que estejamos dispostos a pagar um preço mais alto do que os outros estão dispostos a pagar. O custo da verdadeira liderança é pesado e, quanto mais competente a liderança, maior será o custo".[1]

Aqueles que lideram se transformam em grandes alvos. Estão na mira mental de muitos.

Sempre existem alguns poucos que são absolutamente incapazes de seguir alguém

Às vezes as pessoas ficam presas a padrões negativos, cultivando atitudes e ações de resistência. Geralmente devido a traumas do passado ou problemas de raiva reprimida, elas decidem ser tão desagradáveis quanto é humanamente possível... E quando são interpeladas, sua raiva se torna logo evidente.

O mal dos encrenqueiros crônicos não é exclusivo de nossos tempos. Desde que existe o pecado, existe a rebelião. De algum modo, as pessoas difíceis parecem prosperar como agentes de dissensão trabalhando contra o rebanho de Deus.

O problema surge quando aqueles que você pensava que

fossem ovelhas enfrentam outras ovelhas. Não demora muito até você perceber que eles não eram ovelhas de modo algum — eram lobos. O pregador puritano Thomas Brooks escreve: "Que os lobos atormentem as ovelhas não é de admirar, mas que uma ovelha atormente outra, isso não é natural e é monstruoso".[2]

Às vezes seguidores fazem coisas não naturais e monstruosas. Talvez você tenha passado pela experiência de ser parte de uma igreja turbulenta. Eu às vezes me refiro a tais congregações como tóxicas. Talvez seja ainda mais grave do que isso. Talvez você e membros de sua família tenham virado presas de lobos em pele de cordeiro, e o resultado foi ruim. Nesse caso, você precisa de tempo para se recuperar e sarar.

Desde que existe o pecado, existem rebeldes. Desde que existe liderança, existem aqueles que lutam contra ela. Isso não significa que todo crítico esteja errado ou seja teimoso, mas um espírito crítico permanente não tem lugar no corpo de Cristo. Permitir que indivíduos tão críticos andem sem supervisão em uma congregação sempre resulta em caos.

Encrenqueiros incorrigíveis dividem. Eles manipulam. Eles não desejam a vontade de Deus; desejam a sua própria vontade e do seu próprio jeito.

Um panorama bíblico de encrenqueiros crônicos

Vamos começar no Antigo Testamento e trilhar um caminho até o Novo Testamento. Os encrenqueiros crônicos proliferam em toda a história bíblica.

- Miriã e Arão criticaram Moisés (ver Nm 12.1-2). Em um momento crucial da liderança de Moisés, ele foi forçado a enfrentar encrenqueiros crônicos entre aqueles que lhe eram mais próximos — seu irmão e sua irmã. Apesar de serem parentes, tornaram sua vida infeliz. Sabe por quê? Não gostaram da esposa que ele escolheu. As pessoas já eram mesquinhas naquela época, assim como são agora.

- Acã causou dor imensa a Josué ao iniciar a importante missão de conquistar e povoar a Terra Prometida (ver Js 7). A rebelião de Acã levou à perda de muitas vidas.
- O livro dos Juízes narra a história de uma longa lista de encrenqueiros que trouxeram muita tensão e angústia para o povo de Deus. O livro está repleto de rebeldes, de pessoas fazendo "o que parecia certo a seus próprios olhos" (Jz 21.25). Esse versículo é uma excelente definição de um encrenqueiro crônico: alguém que faz as coisas a seu modo. Nada de bom resulta de tal atitude.
- Davi suportou sérios aborrecimentos causados por seu próprio filho Absalão (ver 2Sm 15). Aliás, Davi conviveu com vários encrenqueiros na família. O filho de Davi, Amnom, estuprou sua meia-irmã Tamar. No capítulo 5, falamos sobre um rude encrenqueiro chamado Simei, que jogou pedras em Davi e o amaldiçoou.
- Jó suportou as opiniões problemáticas de "amigos", com seus conselhos inoportunos e comentários críticos.
- Neemias enfrentou o persistente incômodo de dois encrenqueiros determinados a obstruir seus esforços para reconstruir a muralha ao redor da cidade de Jerusalém (ver Ne 4.1-9).
- Daniel sofreu adversidades quando seus colegas encrenqueiros lançaram falsas acusações contra ele porque estavam com ciúmes dos favores do rei (ver Dn 6).
- No Novo Testamento, Jesus enfrentou importunações constantes de fariseus e outros líderes religiosos

encrenqueiros da época. De fato, as agitações que promoveram tiveram consequências fatais, pois eles tramaram matar Jesus por seus ensinamentos (ver Mt 12.14).

- A igreja do primeiro século enfrentou heréticos que disseminavam falsos ensinamentos. Eles eram também lobos que emergiram de igrejas outrora fortes, e legalistas que manipulavam o rebanho de Deus. Eram impostores e desertores que se infiltraram e causaram prejuízos. Eram briguentos que se recusavam a guardar a unidade do Espírito (ver Mt 7.15; Gl 5.7-12).
- João enfrentou o infame Diótrefes, um encrenqueiro crônico na igreja dos primeiros tempos que, nas palavras de João, "gosta de ser o mais importante" (3Jo 1.9). O estudioso do Novo Testamento e teólogo batista A. T. Robertson narra uma história interessante sobre essa passagem: "Cerca de quarenta anos atrás, escrevi um artigo sobre Diótrefes para um jornal denominacional. O editor me contou que 25 diáconos barraram o jornal para mostrar seu ressentimento pelo fato de terem sido atacados pessoalmente no jornal".[3]
- Paulo escreveu veementemente ao jovem Timóteo, alertando-o contra os truques agitadores de Alexandre, artífice que trabalhava com cobre e que, nas palavras do apóstolo, "me prejudicou muito" (2Tm 4.14).

Infelizmente, o espírito de Diótrefes e de outros como Alexandre continua vivo, provocando o caos em muitas organizações e igrejas até hoje. Eu poderia contar dezenas de histórias de pastores que estão atualmente lidando com chefes autoproclamados de igrejas — aqueles encrenqueiros crônicos que tentam controlar o rebanho e provocam incalculável destruição no ministério. Histórias dolorosas, todas elas!

Felizmente, Deus não nos obriga a lidar com essas pessoas tóxicas e enfrentá-las apenas com nossa inteligência. Ele nos mostra um jeito melhor... que vem na forma de um firme alerta.

Um alerta da Palavra de Deus

Sou grato porque, quando o apóstolo escreveu a carta aos Romanos, não escreveu apenas sobre as grandes doutrinas, mas também incluiu algumas questões bastante pessoais. O ministério não se limita a questões teológicas — a maioria dos ministérios tem a ver com traduzir conceitos teológicos profundos na vida e na experiência cotidiana das pessoas. É nesse reino que o ministério se torna complicado. Uma palavra melhor é *confuso*. Sim, o ministério tem momentos milagrosos e alegres. Mas, como tenho dito há anos, é muito mais fácil conviver com Deus do que com seu povo. E os mais difíceis são aqueles que podem ser caracterizados como encrenqueiros incorrigíveis. Paulo tratou desse assunto específico na carta aos crentes de Roma: "E agora, irmãos, peço-lhes que tomem cuidado com aqueles que causam divisões e perturbam a fé, ensinando coisas contrárias ao que vocês aprenderam" (Rm 16.17).

A palavra original traduzida como "divisões" significa "dissensões". Sugere tendência à divisão e à polarização. O termo grego aparece só aqui e em Gálatas 5.20, em que Paulo descreve pessoas que estão sob o controle da carne, conhecidas por perturbar a unidade do corpo de Cristo. As pessoas desse tipo não desejam a unidade; elas prosperam no conflito. Anseiam pelo controle. Amam pôr lenha na fogueira. Sentem um prazer doentio em causar confusão entre as ovelhas de Deus.

O aviso de Paulo em Romanos 16.17 é para que tomemos cuidado com eles. Junto a essa expressão, escrevi na margem da minha Bíblia: "Preste atenção!".

Se você é um líder, é seu dever zelar pelo rebanho, prestar atenção ao que está sendo dito e feito. Não espionar, mas assegurar-se de que ninguém sofra maus-tratos, nem seja vítima de aproveitadores, nem manipulado por encrenqueiros.

Paulo se preocupa especificamente com o perigo de essas pessoas levarem o povo de Deus a se extraviar doutrinalmente. Quem os ensinou? Ninguém senão o apóstolo Paulo. De fato, Paulo está dizendo: "Volte às suas anotações e estude o que registrou. Se escutar algo que vai contra o que lhe ensinei, tome cuidado! Não ignore esses professores. Não se limite a sorrir e a olhar para o outro lado. Não os ignore... Preste atenção. Eles estão disseminando falsa informação. Não vai demorar muito até que criem confusão na irmandade que existe agora entre vocês".

Em Romanos 16, Paulo alerta os crentes a ficarem longe dessas pessoas. Junto com esse alerta, faz várias acusações severas:

- Eles não estão servindo Cristo, nosso Senhor (v. 18).
- Eles servem a seus próprios interesses (v. 18).
- Eles se valem de palavras suaves e bajulação — a palavra grega é *eulogia*, que se refere a expressões lisonjeiras destinadas a manipular a plateia (v. 18).

Paulo recomenda duas estratégias para lidar com esses indivíduos desagregadores no corpo de Cristo:

1. *Observação:* Tome cuidado com pessoas desse tipo (v. 17).
2. *Isolamento:* Fique longe de pessoas que agem dessa forma (v. 17).

Este é um bom momento para escrever algumas palavras sobre o problema muito real da indução ao erro. O motivo pelo qual muitos cristãos são vítimas de indivíduos desagregadores é que são inexperientes nas Escrituras. Suas raízes espirituais são rasas, e eles estão só começando a crescer rumo a uma vida de maturidade. Sob a influência de um encrenqueiro incorrigível, esses cristãos são extremamente vulneráveis. Em seus planos enganadores, os encrenqueiros se aproveitam da inocência e credulidade dos jovens cristãos.

Essas pessoas desagregadoras muitas vezes são carismáticas. São persuasivas, mas cheias de desonestidade. Seu pai é Satanás, que é um enganador, e o pai da mentira (ver Jo 8.44).

Preste atenção: desvie-se de todos os enganadores. Não faça deles seus amigos. Não ande com eles. Quando descobrir que são enganadores, entre em ação! Se não o fizer, eles se aproveitarão de você. Parecerão estar entre seus melhores amigos, mas lhe roubam a alma. Tiram vantagem de você. Roubam-lhe a paz e a estabilidade. Pior ainda: prejudicam seus filhos.

Isso explica por que o apóstolo Paulo emitiu um alerta tão forte. Quando nos permitimos cair na influência de um encrenqueiro incorrigível, há muito em jogo.

Um exemplo da igreja dos primeiros tempos

Quando Paulo escreveu a Tito, tinha no coração o bem-estar tanto do ministro, Tito, quanto do ministério. Conhecemos um pouco do contexto das cartas a Timóteo, mas sabemos muito pouco sobre a carta a Tito. É bastante breve — apenas três capítulos — e temos pouquíssimas informações sobre a ocasião específica que levou Paulo a escrevê-la. Mas a carta contém uma mensagem simples com alguns dos mesmos temas tratados por Paulo quando alertou os crentes de Roma contra encrenqueiros.

A abertura dessa carta pungentemente pessoal diz muito sobre a história:

> Eu, Paulo, escravo de Deus e apóstolo de Jesus Cristo, escrevo esta carta. Fui enviado para fortalecer a fé daqueles que Deus escolheu e para ensinar-lhes a verdade que mostra como viver uma vida de devoção [...]. Escrevo a Tito, meu verdadeiro filho na fé que compartilhamos.
>
> Tito 1.1,4

Fica claro que Paulo e Tito desfrutavam de um relacionamento especial. Paulo provavelmente desempenhou um papel na condução de Tito à fé em Jesus Cristo. Há um relacionamento de tipo pai-filho que Paulo menciona e que revela a intimidade e devoção que havia entre eles. Em algum momento no passado, Paulo incumbiu Tito do ministério pastoral: "Deixei-o na ilha de Creta para que você completasse o trabalho e nomeasse presbíteros em cada cidade, conforme o instruí" (Tt 1.5).

Aparentemente, Tito recebeu a carta do mentor enquanto pregava na ilha de Creta. Ministérios em ilhas apresentam desafios singulares.

Provavelmente Tito passou por dificuldades ao estabecer um ministério nesse tipo de ambiente. Recrutar lideranças tementes a Deus era uma prioridade do jovem pastor. Seu mentor e guia, o apóstolo Paulo, o enviara a Creta para dar estabilidade à igreja nomeando presbíteros qualificados. Isso incluía garantir que as igrejas estivessem operando corretamente — literalmente, que ele as "pusesse em ordem" (Tt 1.5, NVI).

Em ocasião anterior, Paulo esteve na ilha para iniciar o ministério lá. A igreja deu início às obras e em seguida deu continuidade a elas. Porém alguns pocedimentos ficaram incompletos, então Paulo deixou Tito lá para completar a obra que havia iniciado. Nesse processo, ocorreram alguns desvios. A tarefa de Tito era colocar tudo em ordem novamente. Isso nunca é uma tarefa fácil, sobretudo para um pastor jovem, menos experiente. É claro que Tito contava com outras pessoas ao redor para ajudá-lo no processo.

A principal missão de Tito, de acordo com Paulo, era permanecer em Creta e "nomear presbíteros" (Tt 1.5). É importante observar que presbíteros na igreja do primeiro século nunca eram eleitos. Eram nomeados pessoalmente e cuidadosamente. Nomear presbíteros é um processo que consome tempo e de longo prazo, regido pelas Escrituras e orientado pelo Espírito Santo, que capacita os presbíteros a executar seus trabalhos (ver 2Tm 1.6-7). Na primeira carta de Paulo a Timóteo, ele descreve as quinze qualidades necessárias para alguém que deseja ser presbítero. É uma lista extensa, séria e que, quando adotada, garante que a igreja receberá o devido cuidado e será conduzida por um conselho temente e uma supervisão madura (ver 1Tm 3.1-7).

Quando consideramos alguém para o cargo de presbítero, é prudente garantir que seja uma pessoa de bom caráter e séria em sua caminhada com Cristo. Falamos com pessoas que tenham feito negócios com ela para descobrir sua reputação na comunidade. Aprendemos o máximo que pudermos sobre ela. Essa pessoa está sendo nomeada para ser um administrador do rebanho de Deus, então o processo de verificação é essencial.

Não é uma competição de popularidade. Trata-se de uma pessoa que deve se comprometer com os ensinamentos das Escrituras. Só isso já faz com que a lista de candidatos se reduza a uns poucos valorosos. As qualificações descritas por Paulo em 1Timóteo são repetidas na carta a Tito:

> O presbítero deve ter uma vida irrepreensível. Deve ser marido de uma só mulher, e seus filhos devem partilhar de sua fé e não ter fama de devassos nem rebeldes. O bispo administra a casa de Deus e, portanto, deve ter uma vida irrepreensível.
>
> Tito 1.6-7

Esses indivíduos são raros. Encontrá-los e nomeá-los é tarefa que exige esforço. Para ser honesto, servi em igrejas onde havia presbíteros que não eram qualificados. Isso porque, na maioria das congregações, os presbíteros são eleitos por pessoas que pensam em termos racionais mais do que bíblicos. Ou porque sabem que o candidato distribui muito dinheiro. Dinheiro ou riqueza nunca deveriam ser fatores a se levar em consideração ao se escolher presbíteros. Um presbítero deve, sem dúvida, ser generoso, mas ser rico nunca é um pré-requisito essencial.

Todavia, a atitude da pessoa em relação aos outros é importante. Ela deve ter uma opinião humilde de si mesma diante do Senhor e diante do povo a quem serve (ver Tt 1.7). Além disso, a atitude de um presbítero em relação à Palavra de Deus e ao ensinamento bíblico é de suma importância.

Paulo escreve: "Essa é uma afirmação digna de confiança, e quero que você insista nesses ensinamentos, para que todos os que creem em Deus se dediquem a fazer o bem. São ensinamentos bons e benéficos para todos" (Tt 3.8).

É precisamente por isso que é importante ser exigente. Há muito em jogo quando se trata de bom ensinamento e da proclamação da verdade à igreja. De fato, é crucial ter presbíteros com uma clara compreensão da Palavra de Deus, uma disposição de preservar a boa doutrina e uma capacidade de ensiná-la com entusiasmo e precisão. Por que é tão importante? Porque as pessoas podem se distrair facilmente e se deixar desencaminhar, especialmente por indivíduos que são encrenqueiros incorrigíveis.

Então Paulo "tira as luvas", dando uma resposta ainda mais veemente:

> Em outros tempos, também éramos insensatos e desobedientes. Vivíamos no engano e nos tornamos escravos de muitas paixões e prazeres. Éramos cheios de maldade e inveja e odiávamos uns aos outros.
> Mas,
>
> Quando Deus, nosso Salvador, revelou sua bondade e seu amor, ele nos salvou não porque tivéssemos feito algo justo, mas por causa de sua misericórdia. Ele nos lavou para remover nossos pecados, nos fez nascer de novo e nos deu nova vida por meio do Espírito Santo. Generosamente, derramou o Espírito sobre nós por meio de Jesus Cristo, nosso Salvador. Por causa de sua graça, nos declarou justos e nos deu a esperança de que herdaremos a vida eterna. [...]
>
> Não se envolva em discussões tolas sobre genealogias intermináveis, nem em disputas e brigas sobre a obediência às leis judaicas. Essas coisas são inúteis, e perda de tempo. Se alguém tem causado divisões entre vocês, advirta-o uma primeira e uma segunda vez. Depois disso, não se relacione mais com ele. Tais indivíduos se desviaram da verdade e condenaram a si mesmos com seus pecados.
>
> Tito 3.3-7,9-11

Essa última declaração merece um exame cuidadoso. Muitas vezes, encrenqueiros incorrigíveis miram nas pessoas que são fracas na fé e vulneráveis à manipulação. Dirigem suas críticas ao ensinamento da igreja e tentam induzir os crentes a um caminho de erro.

Aparentemente, Tito e Timóteo estavam lidando com gente desse tipo e precisavam de firmes instruções do mentor de seu ministério, o apóstolo Paulo. Vale a pena observar que Paulo insistiu que qualquer um que ensinasse as Escrituras se dispusesse a se submeter ao ensinamento do apóstolo (ver Tt 3.8). Além disso, alertou aos crentes para evitar a tola espiral descendente de infinitas discussões e debates sem importância. Nada de bom jamais resulta de tais discórdias. E se alguém continuasse a criar dissensões na igreja sobre tais absurdos depois de dois avisos, deveria ser evitado e ignorado (ver Tt 3.10).

Essa é uma declaração extremamente forte, que merece um exame detalhado. É fácil para um pastor que possui convicções firmes envolver-se em brigas e escaramuças bobas, em que os envolvidos julgam que *nada* é secundário e *tudo* é importante. Paulo nos alerta contra isso. Confie em mim: no ministério e na vida, você se sairá melhor se não for briguento. Você pode ser esperto como a serpente e, ao mesmo tempo, simples como a pomba.

Você precisa tomar cuidado em relação aos motivos que o fazem arregaçar as mangas e partir para a luta. Precisa ser ainda mais cauteloso com o modo como expressa suas respostas. Se uma pessoa continua a causar problemas, procure-a em particular, levando alguém confiável com você, e ofereça uma oportunidade de arrependimento. Se isso não funcionar, ofereça uma segunda oportunidade ou aviso. Se ainda não houver resposta, afaste-se desse indivíduo ou grupo!

Felizmente, em tais conversas delicadas e difíceis, podemos confiar na Bíblia. A Palavra de Deus descreve um plano simples e eficaz para lidar com encrenqueiros incorrigíveis. Pode não ser tranquilo, mas é confiável e eficaz quando seguido.

A meta é levar a pessoa ao arrependimento e vê-la devolvida à plena irmandade. Essa é sempre a meta final.

A propósito, não consigo me lembrar de nenhuma vez em que tenha seguido esse processo sem lágrimas; ele sempre parte meu coração. A interpelação pode levar uma pessoa a pensar que estou me apresentando como seu juiz. É essencial que nunca tenhamos esse espírito. Devemos interpelar com espírito manso e humilde, como somos ensinados em Gálatas 6.1-2.

> Irmãos, se alguém for vencido por algum pecado, vocês que são guiados pelo Espírito devem, com mansidão, ajudá-lo a voltar ao caminho certo. E cada um cuide para não ser tentado. Ajudem a levar os fardos uns dos outros e obedeçam, desse modo, à lei de Cristo.

Vá para a conversa com humildade, sabendo que você pode ser transformado em alvo de questionamentos, devido a outras circunstâncias.

Paulo encerra declarando que os encrenqueiros incorrigíveis "se desviaram da verdade e condenaram a si mesmos com seus pecados" (Tt 3.11). Essa é uma declaração curiosa. O verbo grego que Paulo emprega é *ekstrepho*. Significa desviar-se do que é verdadeiro ou moralmente apropriado. Isso explica o que motiva a resistência e a rebelião.

Há algo terrivelmente errado na vida de alguém que não se dispõe a se arrepender. Evidencia um coração que está impermeável ao trabalho do Espírito Santo.

Já fui interpelado? Sim, já fui. Por mentores, por amigos que me amavam o bastante para me dizer a verdade, por minha esposa e por meus filhos — sendo que todos me procuraram em uma abordagem amistosa. Essas pessoas me amavam tanto que não podiam permanecer caladas. Felizmente, não foi necessário um segundo alerta; embora toda interpelação tenha sido penosa, era necessária. Quando olho para o passado e me lembro dessas chamadas à responsabilidade, ainda recordo o quanto apreciei que me chamassem atenção para o problema. Nem toda interpelação tem um final feliz. Paulo estava alertando sobre uma pessoa incorrigível que sabe o que está fazendo e não quer parar. Tais indivíduos podem ser extremamente difíceis de interpelar e corrigir.

Um lembrete oportuno

Há um segredo simples quando se trata de evitar situações de dissensão. O segredo é *você*. É isso. O que mais importa é sua atitude e as ações ou respostas que você decide dar. Se você deseja paz e unidade em seu lar, igreja ou ministério, grande parte disso depende de você.

Há uma fórmula útil que tem sido usada na igreja ao longo dos séculos. Funciona na maioria das situações em que nem todo mundo concorda, mas em que todos desejam a harmonia em lugar de conflito e disputa. Sugiro que você decore e então a coloque em prática:

No essencial... unidade.
No que não é essencial... liberdade.
Em tudo... caridade.

Todos os que entram em nossa igreja, a Stonebriar Community Church em Frisco, Texas, estão unidos na essência da doutrina. Mas há muitas outras questões que não são essenciais. Os membros nem sempre concordam com cada detalhe de nossas políticas e estratégias de ministério, mas essas são questões não essenciais. Assim, dispomos da liberdade de ter diferenças de opinião, desde que apoiemos o ministério como um todo com humildade e serviço no espírito cristão. Porém quando discordamos e chegamos a um impasse, procuramos um ao outro no amor de Cristo.

O legalista comete o erro de ver *tudo* como essencial. Se você não concorda com ele ou ela, você é julgado. Mas deve haver espaço para a liberdade no que não é essencial. Isso é graça. Você pode gostar de tatuagens; eu posso não gostar. Você é livre para servir e adorar na igreja em que sirvo se tiver tatuagens. Porque isso *não é essencial*. Pare de transformar o que não é essencial em essencial. Tudo ficará melhor assim — os filhos, netos, empregados, as pessoas a quem você serve em seu pequeno grupo e, com certeza, os vizinhos e amigos.

Aliás, abordar tudo isso com um espírito amoroso é uma ótima forma de dirigir seu lar. Às vezes, como pais e avós, precisamos apenas relaxar. Vale a pena estragar o relacionamento com os filhos ou netos por causa de preferências musicais? Ou por causa do comprimento dos cabelos deles? Ou por causa da carreira que escolheram?

Se alguém quer levar um estilo de vida que descontenta o Senhor e conflita com os preceitos e princípios da Palavra, é diferente. Isso é sério. Esses pontos caem na categoria dos essenciais.

No entanto, mesmo ao discutir essas questões extremamente delicadas, especialmente na vida de adolescentes, peço-lhe que use o coração. Não reaja de modo exagerado. Não deixe versículos da Bíblia em cima do *skate* deles ou enfiados em seu *smartphone*! Você irá perdê-los — isso é garantido. Talvez nunca recupere esse relacionamento. Se já pôs tudo a perder, então confesse sua aspereza ao Senhor e espere que ele providencie a ocasião certa para fazer as pazes com a pessoa a quem magoou. Mas deixe que o tempo cumpra seu trabalho de cura. Não se apresse. Demonstre paciência. Dê-lhes espaço e tempo para crescer. Confie em mim: nunca se arrependerá.

Em tudo o que fizer, lembre-se, escolha o amor. Que o amor seja seu primeiro pensamento — e o segundo, o terceiro e o último.

Lembre-se das palavras de Paulo...

Uma vez que você julga outros por fazerem essas coisas, o que o leva a pensar que evitará o julgamento de Deus ao agir da mesma forma? Não percebe quanto ele é bondoso, tolerante e paciente com você? Não vê que essas manifestações da bondade de Deus visam levá-lo ao arrependimento?

Romanos 2.3-4

Nunca estamos longe demais deste guia simples, mas poderoso:

No essencial... unidade.
No que não é essencial... liberdade.
Em tudo... caridade.

Corra o risco. Ele correu o risco por você.

9
E se...
seu patrão for injusto e desrespeitoso?

A Palavra de Deus para quando você enfrenta
uma situação difícil no trabalho

Precisamos de uma melhor teologia do trabalho.

Ao fazer essa declaração, estou me referindo a todos os que não estão envolvidos no serviço vocacional cristão — aqueles que não são pregadores e professores de seminários, evangelistas e missionários, ministros de culto e membros da equipe da igreja, mas que trabalham em vocações seculares. Esses indivíduos desejam, louvavelmente, viver a fé de formas práticas que encorajem aqueles com quem trabalham e, ao final, levem glória ao nome de Cristo.

Lembro-me de escutar a história de uma jovem advogada que Cynthia e eu encontramos em uma de nossas viagens de conferências no ministério. Ela era bem-educada, ambiciosa e extremamente talentosa em seu campo de atuação. Entretanto, trabalhava em um ambiente hostil ao cristianismo — os colegas eram motivados em demasia pelo desejo de alcançar o sucesso, dando pouca importância ao preço que precisavam pagar para chegar ao topo. Lembro-me de como ela entregou seu talento e sua posição ao Senhor, dizendo que, enquanto ele achasse adequado mantê-la naquele lugar, ela seria uma testemunha tranquila e fiel para aqueles a seu redor. Com o tempo, um por um, os indivíduos com quem ela trabalhava começaram a ver a vida se desintegrar. Você adivinhou certo — vários deles recorreram a ela em busca de ânimo, sabendo que ela estava cercada por uma paz e uma presença que eles desejavam para si. Ela confessou que nunca havia se dedicado a desenvolver uma "teologia do trabalho" completa, mas sabia, dentro do coração, que aquilo em que acreditava a respeito de Cristo devia influenciar cada aspecto de sua vida, inclusive o trabalho. Adoro essa história!

Quando falo sobre teologia do trabalho, estou me referindo a um sistema teológico que ajude a orientar nossas atitudes e ações como cristãos no local de trabalho. Estou falando sobre como seria colocar princípios bíblicos em prática em um cenário não ministerial. É raro a maioria de nós pensar sobre isso!

Anos atrás, Doug Sherman e William Hendricks escreveram um livro perspicaz intitulado *Your Work Matters to God* [Seu trabalho importa para Deus]. Nele, os autores incluem estas palavras:

> Todos os dias, milhões de trabalhadores vão para o trabalho sem perceber a menor conexão entre o que fazem o dia todo e o que acham que Deus deseja que seja feito no mundo. Por exemplo, talvez você venda seguros, mas não tenha nenhuma ideia se Deus quer ou não que se vendam seguros. Será que vender seguros é algo que importa para Deus ou não? Se não, você está desperdiçando sua vida. Entretanto, sem uma clara teologia do trabalho, você não tem como responder à pergunta e, portanto, nenhuma base para dar um significado fundamental ao trabalho.[1]

Se é assim que você pensa, você precisa de uma teologia do trabalho. Precisa entender quão valiosa é sua posição, mesmo que ela não tenha nada a ver com o que geralmente se relaciona ao reino espiritual. Você não publica Bíblias. Não escreve canções cristãs. Não prepara sermões. Não leciona em uma classe de estudantes se preparando para o chamado ao ministério. Você não tem muitas dificuldades em avaliar essas atividades como importantes para Deus, mas não está tão certo quanto ao valor eterno dos tipos de trabalho mais triviais, não ministeriais. Considerando que uma grande parte de nossa vida se passa no trabalho, essa é uma área em que precisamos pensar biblicamente.

Princípios bíblicos sobre o trabalho

Uma teologia bíblica do trabalho aparece já no princípio da revelação — literalmente, "no princípio…".

Quando as Escrituras se iniciam, Deus está trabalhando na Criação, criando o mundo e tudo o que nele existe. Na verdade, ele tinha muito o que fazer, pois a Bíblia narra: "A terra era sem forma e vazia, a escuridão cobria as águas profundas" (Gn 1.2). Basicamente, antes de Deus iniciar o trabalho, a terra era inabitável. Nenhuma vida podia existir em tal domínio. Então ele se pôs a trabalhar, criando a luz e separando a luz da escuridão, separando a água da terra, criando o céu, litorais e vastas planícies, que a Bíblia chama de "parte seca" (ver Gn 1.3-10).

Gênesis 2 abre com um resumo do trabalho criativo de Deus. É aqui que encontramos a fundação original para uma teologia do trabalho: "No sétimo dia, Deus havia terminado sua obra de criação e descansou de todo o seu *trabalho*" (Gn 2.2, itálicos acrescentados).

Fico muito feliz que o texto esteja escrito assim. Sob a inspiração do Espírito de Deus, Moisés foi levado a escrever a palavra *trabalho* e ligá-la à Criação. Se o trabalho fosse mau, Deus estaria fazendo algo mau, o que é impossível, porque ele é santo. Como tudo o que Deus faz é inerentemente bom, então o trabalho é bom.

De fato, Deus afirma explicitamente que o trabalho é bom. As Escrituras declaram: "Deus olhou para tudo que havia feito e viu que era muito bom" (Gn 1.31). Novamente: "Deus abençoou o sétimo dia e o declarou santo, pois foi o dia em que ele descansou de toda a sua obra de criação" (Gn 2.3). Quando Deus avaliou seu trabalho, considerou-o de grande valor e declarou que seu término fosse uma realização santa. Isso nos ajuda a estabelecer nossa teologia do trabalho.

O texto de Gênesis 3, em contrapartida, torna-se um tanto espinhoso — literalmente!

E ao homem ele disse:

"Uma vez que você deu ouvidos à sua mulher
    e comeu da árvore cujo fruto ordenei que não
        comesse,
maldita é a terra por sua causa;
    por toda a vida, terá muito trabalho para tirar da
        terra seu sustento.
Ela produzirá espinhos e ervas daninhas,
    mas você comerá de seus frutos e grãos.
Com o suor do rosto você obterá alimento,
    até que volte à terra da qual foi formado.
Pois você foi feito do pó,
    e ao pó voltará".

Gênesis 3.17-19

Com a entrada do pecado no Jardim, tudo mudou. Até aquele ponto, não havia nada além de bondade e beleza. A terra existia como um cenário imaculado para Adão e Eva. Imagine um cenário sem ervas daninhas e sem espinhos, só belas plantas e pomares exuberantes de árvores frutíferas.

O trabalho possui valor intrínseco e foi tornado santo por Deus. No entanto, quando o pecado entrou em cena, o trabalho se tornou árduo e implacável. Tenha em mente que o trabalho se tornou assim por causa do pecado, não porque o trabalho em si seja mau. Essa é uma distinção importante!

A propósito, em nenhuma passagem do relato do Gênesis Deus amaldiçoa o trabalho. Ele amaldiçoou a serpente, e amaldiçoou a terra (ver Gn 3.14-19), mas o trabalho em si permaneceu sagrado.

Gosto muito das palavras da saudosa autora britânica Dorothy Sayers. Na palestra intitulada "Por que trabalhar?", ela diz:

> Em nada a Igreja perdeu tanto o senso de realidade quanto no fracasso em entender e respeitar a vocação secular. Ela permitiu que trabalho e religião se tornassem departamentos separados, e se surpreende ao descobrir que, como resultado, o trabalho secular do mundo se voltou a fins puramente egoístas e destrutivos, e que a maior parte dos trabalhadores inteligentes do mundo se tornou irreligiosa ou, pelo menos, desinteressada da religião. Mas isso é realmente de surpreender? Como pode alguém permanecer interessado em uma religião que parece não se preocupar com nove décimos de sua vida?[2]

Seja qual for seu trabalho, ele é, na verdade, um chamado de Deus. Com esse ponto de partida, há uma completa alteração no modo como passamos boa parte de nossa vida.

Uma teologia bíblica do trabalho

Gostaria de propor quatro princípios fundamentais para ajudar a explanar uma sólida teologia do trabalho.

Jesus Cristo é Senhor sobre tudo na vida

Não há absolutamente nada que não esteja sob o interesse pessoal ou o domínio soberano de Jesus. Ele se importa imensamente com o que cada um de nós faz todos os dias. Quer você trabalhe em serviço vocacional cristão, quer no "mundo secular", seu trabalho é de grande interesse para ele. Isso dá ao seu trabalho dignidade e importância, independentemente de sua posição, renda ou título.

Em outras palavras, Deus se importa com seu dia e como você o passa. Nenhum trabalho é sem importância aos olhos de Deus. Todo trabalho está sob a autoridade e providência dele, e todo trabalho carrega consigo o mesmo chamado divino e a mesma dignidade humana. Quando subo ao segundo andar de casa e sento-me à escrivaninha para preparar um sermão, Deus está lá. Ele está naquele local, supervisionando, apoiando e cuidando de todos os aspectos dessa tarefa. O mesmo é verdade quanto ao indivíduo que troca as pastilhas de freio no meu carro enquanto estou no escritório me preparando para pregar. O chamado dele vem igualmente do Senhor. Porque ele faz um trabalho diligente, competente, honesto, Deus fica satisfeito com o trabalho dele.

A vida não se divide em secular e sagrada

Não há tal distinção nas Escrituras. Deus não chama isto de secular e aquilo de sagrado. Nenhum trabalho é considerado sem importância ou menos importante do que o de outra pessoa. O que faço como ministro não tem mais valor para Deus ou mais importância do que o que você faz. Estou simplesmente executando meu chamado, assim como você está executando o seu.

Ajuda lembrar-se de que seu trabalho é seu chamado. É por isso que despendemos tanto esforço em encontrar o lugar certo para trabalhar. Nosso trabalho, independentemente do campo específico, é sagrado porque representa o chamado de Deus.

A natureza do trabalho é boa, não má

A Bíblia ensina que somos colaboradores de Deus (ver 1Co 3.9). O Senhor vê propósito e significado no que você vende, no que dirige, na disciplina que leciona ou no prédio que está construindo. Ele vê tudo isso como valioso porque você está cumprindo a vontade dele. A natureza desse trabalho, portanto, é boa, não má. Seja qual for o seu trabalho, ele é sagrado, não secular, se for para a glória do Senhor (ver Cl 3.17).

O modo como você executa seu trabalho reflete o Deus que o chamou a fazê-lo

O modo como executamos nosso trabalho reflete o Senhor, já que estamos cumprindo seu chamado em nossa vida. Este é um princípio importante. Pode também ser condenatório para aqueles que adquiriram o hábito de tomar atalhos ou executar um trabalho mal feito. Talvez você não esteja fazendo bem seu trabalho porque não acha que seja importante ou porque tenha uma visão negativa do propósito do Senhor para ele. Mas você deve executar o trabalho que Deus lhe designou, e a expectativa dele é que você o faça com excelência.

Quer você seja um operário, quer um empregado de escritório, um professor experiente, um aprendiz de soldador, um dentista ou um encanador, o que você faz reflete o Senhor em sua vida.

Ao final de uma conferência em que eu estava compartilhando essas ideias, um homem se levantou e testemunhou: "Olá, meu nome é George... e eu fui escolhido para ser encanador!".

Ele entendeu! Gostei desse testemunho. O que pode soar estranho a nós faz perfeito sentido da perspectiva de Deus. Nunca se esqueça: o modo como você executa seu trabalho é um reflexo direto do Deus que o chamou a executá-lo.

O papel dos cristãos no local de trabalho

Agora que estabelecemos uma teologia básica do trabalho, vamos voltar nosso pensamento para os papéis que desempenhamos no local de trabalho. Gostaria de destacar dois papéis específicos, com base em diversos versículos do Novo Testamento.

O apóstolo Paulo tinha esses princípios em mente quando escreveu tanto aos crentes em Colossos quanto aos da igreja de Corinto:

> E tudo que fizerem ou disserem, façam em nome do Senhor Jesus, dando graças a Deus, o Pai, por meio dele.
>
> Colossenses 3.17

O foco aqui recai sobre a expressão *tudo que*. Posteriormente nesse mesmo capítulo, Paulo escreve:

> Em tudo que fizerem, trabalhem de bom ânimo, como se fosse para o Senhor, e não para os homens.
>
> Colossenses 3.23

Na primeira carta aos crentes de Corinto, ele oferece o mesmo encorajamento:

> Quer vocês comam, quer bebam, quer façam qualquer outra coisa, façam para a glória de Deus.
>
> 1Coríntios 10.31

Talvez você não esteja convencido de que seu trabalho é importante ou valioso. Nesse caso, pense nisto: qualquer coisa que Deus o incumbe de fazer apresenta grande significado e valor para ele e, portanto, para o mundo. No final das contas, sua atitude deve ser a de que você está trabalhando para ele, não para os outros. Esse princípio o ajuda a compreender o papel que Cristo desempenha ao cumprir seus propósitos por seu intermédio.

Você é o único *você* no planeta — o único que possui essas experiências, personalidade e talento. Saber disso o estimula a fazer tudo o que puder para a glória e honra de Deus.

A propósito, este único pensamento pode revolucionar sua atitude para com o trabalho; fará toda a diferença do mundo! Você parará de temer ir para o trabalho quando perceber que está indo como representante do Senhor Jesus Cristo.

Ser cristão, contudo, não remove os desafios de estar no local de trabalho. Seguir a Cristo não necessariamente abranda as dificuldades que você enfrenta quando chega ao trabalho a cada dia. Ter Jesus em seu coração e em sua vida não significa que você entra em uma bolha de proteção e obtém sucesso automático. Ser cristão não o isenta de perder uma venda, ter um carregamento perdido, ver seu prédio ser consumido em chamas, ser preterido em uma promoção ou perder o plano fixo de aposentadoria devido a má gestão. Você também não está protegido de ser demitido.

Vou além. Ser um crente com integridade e uma reputação excelente não o protegerá de ter um patrão que é injusto e desrespeitoso, ou mesmo desonesto. No entanto, em todas essas situações, podemos servir ao Senhor com respeito e dignidade, sabendo que o que ele estabeleceu para nós está de acordo com seu plano e seus propósitos perfeitos para nossa vida.

Nesses cenários difíceis, quais devem ser nossos princípios norteadores para honrar o Senhor? Vamos examinar com mais atenção o que a Bíblia ensina.

Cristãos que servem líderes

As Escrituras oferecem claras orientações para aqueles que servem a outros como empregados ou servos. Mais uma vez, recorremos às instruções do apóstolo Paulo aos crentes de Colossos:

> Escravos, em tudo obedeçam a seus senhores terrenos. Procurem agradá-los sempre, e não apenas quando eles estiverem observando. Sirvam-nos com sinceridade, por causa de seu temor ao Senhor.
>
> Colossenses 3.22

Nos primeiros tempos da igreja, as pessoas ricas e influentes possuíam escravos. Paulo se refere a esses proprietários como "senhores". Hoje em dia, os princípios que Paulo descreve se aplicam ao relacionamento entre empregados e empregadores. Os empregados devem cooperar e conservar uma atitude exemplar. Você não é escravo de sua empresa, mas é um servo de Cristo; portanto, deve servir à empresa com excelência.

Se você não fizer isso, francamente, é um mau representante do Salvador.

Você é chamado a trabalhar duro e buscar a excelência mesmo quando não está sendo vigiado. Isso significa que deve atuar com integridade o tempo todo, inclusive quando está no trabalho. E deve fazê-lo com sinceridade, sem ressentimentos e não por obrigação. Seja uma pessoa confiável. Trabalhe de bom grado. Trabalhe lealmente. Por quê? Novamente, porque você está trabalhando para o Senhor, não para alguma organização. Ele é seu verdadeiro e supremo Empregador!

O finado Howard Hendricks, mentor de meu ministério e amigo de muitos anos, contou-me uma história sobre alguém que executava seu trabalho com excelência mesmo enfrentando a adversidade. O Dr. Hendricks estava em um voo pela American Airlines quando um passageiro se mostrou desordeiro e rude. O Dr. Hendricks observou a aeromoça atendendo ao passageiro com paciência e amabilidade, embora este estivesse sendo verbalmente ofensivo, exigente e desrespeitoso. Depois que a situação foi resolvida, o Dr. Hendricks se levantou do assento e foi falar com a amável aeromoça. Agradeceu a ela pela maneira excelente como lidara com um passageiro difícil. Ele então perguntou o nome dela, para que pudesse escrever ao presidente da companhia de aviação e elogiar seu trabalho. Ela hesitou, então disse: "Na verdade não trabalho para a American Airlines. Trabalho para Jesus Cristo. Ele é meu Senhor e Salvador. Estou servindo a ele ao desempenhar minhas responsabilidades".

Que extraordinário exemplo do que Paulo escreveu séculos atrás!

A aeromoça entendeu perfeitamente. Ter Cristo no centro do trabalho modifica toda sua atitude. Você começa a trabalhar de bom grado e com honestidade. Servir dessa forma significa trabalhar de todo o coração. Observar um trabalho cristão cheio de Espírito — e observar a diligência, paciência e determinação dessa pessoa — inspira-nos a dar glória a Deus. Nós cristãos somos chamados a fazer tudo com excelência, imitando os níveis mais altos de eficiência e máxima integridade.

E devo acrescentar: o mesmo deve ser válido para patrões cristãos também.

Líderes cristãos que servem os outros

Talvez você seja um líder cristão, chamado por Deus para assumir um papel de autoridade sobre um grupo de pessoas. Existem princípios claros para você também em referência ao relacionamento com Cristo e ao tratamento que dispensa àqueles que respondem a você. Assim como empregados recebem orientações bíblicas claras para servir bem, você também recebe atribuições das Escrituras que se aplicam ao modo como trata aqueles a quem supervisiona.

Vejamos primeiro o que Paulo ensina em Colossenses 4:

> Senhores, sejam justos e imparciais com seus escravos. [Empregadores, sejam justos e imparciais com seus empregados.] Lembrem-se de que vocês também têm um Senhor no céu.
>
> Colossenses 4.1

É bastante claro, não? Aqui vão algumas perguntas difíceis para os empregadores: Vocês pagam um salário justo aos empregados? Vocês os tratam com dignidade no que se refere a benefícios e condições do local de trabalho? Eles se sentem valorizados e apreciados por você e pela empresa a que servem? Faça o possível para refletir e depois responda a cada uma dessas perguntas com sinceridade.

Paulo também comenta que ninguém serve sem responder a um senhor. Em última análise, nosso Senhor é Cristo.

Como pastor, respondo perante um grupo de presbíteros. Minha vida é um livro aberto para aqueles homens cuidadosamente escolhidos, divinamente chamados. Encontramo-nos pelo menos uma vez por mês, e eles sempre têm a liberdade de me fazer qualquer pergunta. Eu também tenho a liberdade de relatar tudo o que observo na vida deles. Se eles têm preocupações, podem chamar minha atenção para elas (e o fazem!), porque não sou "o patrão". Além disso, eles também não são o patrão. Nós servimos ao mesmo Senhor — Cristo. Isso funciona muito bem. Ele conduz; nós seguimos. Servimos uns aos outros sob a autoridade de Cristo.

Tenho consciência de que posso ter pontos cegos e dar passos em falso, por isso respondo perante esses presbíteros. Sabendo que somos todos humanos, Paulo insiste que todos (especialmente os empregadores!) "dediquem-se à oração com a mente alerta e o coração agradecido" (Cl 4.2). Isso garante que permaneçamos no reino sobrenatural — sem deixar o importante trabalho de supervisionar a vida e o meio de vida das pessoas a cargo de nossa própria sabedoria ou instinto. Todos nós devemos tratar um ao outro e àqueles no rebanho de Deus com o máximo respeito.

Se você é patrão, você ora pelos empregados? Você os conhece pelo nome? Ora por suas famílias? Quando eles ficam doentes, você expressa preocupação? Busca a sabedoria de Deus ao decidir como reagir diante de um empregado que precisa ser corrigido? Quando você recorre ao Senhor por meio de oração, sua liderança pode mudar a trajetória de toda a vida de alguém. Faz toda a diferença do mundo quando você é um patrão que se porta como Cristo faria se estivesse em sua posição.

Há outro princípio para os patrões seguirem. Paulo o menciona na carta à igreja de Éfeso:

> Trabalhem com entusiasmo, como se servissem ao Senhor, e não a homens. Lembrem-se de que o Senhor recompensará cada um de nós pelo bem que fizermos, quer sejamos escravos, quer livres.
>
> Efésios 6.7-8

Notou a palavra-chave? *Entusiasmo*. Adoro quando encontro pessoas que se entusiasmam com seu trabalho — especialmente gerentes e patrões.

O entusiasmo com o que Deus o chamou a fazer é algo que se transmite aos empregados. Se você, como gerente, tiver uma atitude negativa, não pode esperar nada melhor daqueles a quem supervisiona.

Todavia, se você ama seu trabalho e serve à missão da empresa com genuíno entusiasmo, isso se torna contagioso.

Servir a um patrão que é injusto e desrespeitoso

Problemas sérios surgem quando temos um patrão que é injusto e desrespeitoso. Há poucas experiências mais difíceis e penosas do que viver sob o jugo de um patrão passivo-agressivo, cruel, egoísta ou desonesto. O que fazer quando nos encontramos nessa situação desagradável? Qual deve ser nossa atitude? Como reagir?

Mais uma vez, recorremos às páginas das Escrituras em busca de instruções úteis.

O objetivo é aceitar e respeitar a autoridade

> Por causa do Senhor, submetam-se a todas as autoridades humanas, seja o rei como autoridade máxima, sejam os oficiais

> nomeados e enviados por ele [...]. Tratem todos com respeito e amem seus irmãos em Cristo. Temam a Deus e respeitem o rei.
>
> 1Pedro 2.13-14,17

A propósito, o imperador quando Pedro escreveu aqueles palavras não era outro senão Nero, o odioso e vil líder do Império Romano, notório por matar cristãos. Se alguém tinha uma autoridade difícil a enfrentar, era Pedro!

O objetivo é obedecer a bons e maus líderes

> Vocês, escravos, submetam-se a seu senhor com todo o respeito. Façam o que ele mandar, não apenas se for bondoso e amável, mas até mesmo se for cruel.
>
> 1Pedro 2.18

Sugiro que você leia esse versículo de novo... Mas, desta vez, devagar e em voz alta.

Às vezes esse princípio parece impossível de se aplicar, especialmente se o patrão injusto a quem você serve também é crente. Lamentavelmente, os cristãos não são imunes a se tornarem empregadores mundanos e cínicos. Eles podem se sentir tão ameaçados por pessoas talentosas em sua organização que os despedem, intimidam ou "atiram-nos aos leões" intencionalmente.

Esse tipo de dano infligido por um patrão pode ser doloroso e decepcionante. Alguns indivíduos maltratados nunca se recuperam plenamente de tais abusos flagrantes de poder. Mas Deus deseja que nós o sirvamos — mesmo em meio a essas circunstâncias imprevisíveis — e sirvamos fielmente a nosso Salvador quando trabalhamos para indivíduos que parecem decididos a tornar nossa vida infeliz.

O objetivo é responder bem, mesmo quando se resiste à autoridade

Ao se defrontar com um patrão difícil, há vezes em que é preciso resistir — quando é preciso expressar um senso de retidão e autopreservação. Felizmente, a Bíblia fornece orientações para estabelecer essas complexas distinções.

1. *Resista quando for chamado a fazer algo inerentemente errado.* Você não precisa fazer o que violar claramente a lei suprema de Deus. Mandaram que Daniel orasse apenas pelo rei Dario, mas ele se recusou a se ajoelhar em oração a um rei terreno. Em resultado, foi lançado à cova dos leões (ver Dn 6). Se você se recusa a fazer algo imoral, pode perder o emprego. (Parabéns! Esta é uma ótima razão para ser demitido.) Mandaram aos amigos de Daniel que adorassem a estátua de ouro que Nabucodonosor fizera. Eles não quiseram fazer isso — recusaram-se a ajoelhar-se diante de um ídolo (ver Dn 3). As consequências foram cruéis e severas. Recusar-se a fazer algo errado pode lhe custar o emprego. Você pode ter de enfrentar a perda de meses de salário e até a humilhação. Mas conservará a integridade. Conservará a dignidade. Conservará o favor do Senhor, porque resistiu ao que é errado e defendeu o que é certo.

2. *Resista quando sua consciência estiver sendo violada.* Há momentos em que sabemos, lá no coração, que o que nos está sendo pedido não é correto, mesmo que o princípio não se eleve ao nível de alguma das leis supremas de Deus. Quando sua consciência está sendo violada, é hora de aplicar outro princípio da Palavra de Deus: "Devemos obedecer a Deus antes de qualquer autoridade

humana" (At 5.29). Quando precisaram tomar uma decisão entre se submeter a um sistema religioso corrupto ou seguir o comando supremo de Deus, os apóstolos escolheram obedecer a Deus. Eles escolheram obedecer ao Senhor em vez de correr o risco de pecar contra ele por não fazer o que é certo (ver Tg 4.17). É isso o que significa ser verdadeiro para com sua consciência. Saber, em seu âmago, que você deve fazer algo ou não fazer. Você é livre para resistir quando sua consciência estiver sendo violada. Isso se aplica, sem dúvida, a oferecer favores sexuais ou permitir abuso sexual, o que nunca é correto. Quando sua consciência diz: *Isso não é correto*, escute-a!

3. *Resista quando pessoas inocentes serão afetadas pelo mal que você irá fazer*. Resista quando perceber que, por obedecer a uma instrução, você causará dano aos outros ou à sua própria reputação. Há momentos em que a decisão de uma empresa em que você está envolvido prejudica pessoas inocentes ou faz com que outros sejam feridos física ou emocionalmente. Por exemplo, se o proprietário da sua empresa exigisse que você ignorasse políticas cruciais de segurança em nome da conveniência ou de um corte de custos, você estaria colocando em risco vidas inocentes. É aí que você deve resistir e seguir o Senhor. Nesses casos, você decide agradar ao Senhor, não ao líder. Pode haver um preço a pagar — você pode perder o cargo ou a posição na hierarquia. Isso pode acontecer em uma família também. Se um membro da família está molestando seus filhos, é preciso não só resistir a essa pessoa, mas também denunciá-la de imediato às autoridades competentes. Essa pessoa precisa ser removida de seu lar. Se você precisar de ajuda, chame a polícia. Você tem todo o

direito de resistir a tal ato criminoso. Essa pessoa nunca deve exercer controle sobre você ou seus filhos.

Todos nós desejamos viver em um mundo ideal. Eu, com certeza, desejo! Mas não vivemos, então vamos viver no mundo da realidade, guiados pelos princípios repletos de graça da Palavra de Deus.

A meta de Deus para a família dele

A meta de Deus para todos em sua família é torná-los como Cristo. Volte e leia essa frase outra vez — vagarosa e ponderadamente. A vida cristã é projetada para nos moldar à imagem de Cristo, seja o que for que isso exija. Ele pode usar qualquer elemento na vida para fazer com que isso aconteça. Tudo o que acontece no local de trabalho pode nos ajudar a desenvolver o caráter de Cristo. Sim, tudo.

Isso inclui as pessoas que não gostamos de ter por perto devido à arrogância delas. Inclui patrões que são líderes ruins. Inclui a tensão e pressão que acompanham o trabalho. Inclui a perda de um emprego por ter sido falsamente acusado ou mal compreendido, ou porque suas motivações foram questionadas. Tudo isso pode ser usado por Deus para realizar o trabalho de Cristo em você.

Até reveses financeiros podem desempenhar um papel em moldá-lo à semelhança de Cristo. Os supostos "negócios seguros" que fracassaram e o desapontaram são parte de ser moldado à imagem de Cristo. Da mesma forma, as pessoas que tornam sua vida miserável e os rebaixamentos quando você merecia uma promoção. Quando alguém mais recebe o crédito pelo que você fez, Deus pode usar isso para aperfeiçoar seu caráter. Ele pode também usar as injustas horas extras e as longas e tediosas tardes pelas quais se recebe pouco ou nenhum reconhecimento do superior. Ele pode usar aqueles momentos em que você é ignorado enquanto outros são recompensados, e até mesmo aqueles momentos em que você é forçado a demitir-se por algo que foi culpa de outra pessoa. Todas essas circunstâncias auxiliam o trabalho de Deus em nos tornar mais semelhantes a seu Filho. Deus nunca perde uma oportunidade de remodelar e aprofundar nossa vida.

Quando escolhemos seguir a Cristo e honrá-lo em nossas atitudes e ações, ele promete nos abençoar, mesmo que as bênçãos não venham do modo ou no momento esperado. Em tudo isso, lembre-se de que ele recebe a glória. Ele sempre sabe o que é melhor.

Considere este profundo pensamento de Salomão, um dos indivíduos mais sábios que já andaram sobre este planeta: "Quando a vida de uma pessoa agrada o Senhor, até seus inimigos vivem em paz com ela" (Pv 16.7).

Isso dará certo. Não apenas dará certo na pregação, mas também melhorará seu trabalho, então repita-o com frequência.

Vou deixá-lo com estas palavras finais: Deus é soberano, Deus é bom, Deus é consciente e Deus é fiel. Deus é Deus, e você não é. Lembre-se disso e seu trabalho se encaixará no lugar certo.

10
E se...
alguém estiver espreitando você?

....

A Palavra de Deus para quando você se sentir ameaçado

Anos atrás, um ato de violência abominável chocou o mundo.

No dia 13 de março de 1964, uma mulher chamada Kitty Genovese saiu de um bar onde trabalhava na cidade de Nova York, entrou no carro e começou a dirigir de volta para casa. Enquanto aguardava em um farol vermelho, Winston Moseley avistou-a de seu carro estacionado. Genovese chegou por volta das 3h15 da manhã e deixou o carro em um estacionamento, a uns trinta metros de seu apartamento. Enquanto Genovese caminhava até o prédio, Moseley saiu do veículo e aproximou-se dela, segurando uma faca de caça.

Moseley seguiu Genovese, agarrou-a e esfaqueou-a duas vezes nas costas. Ela gritou: "Oh, meu Deus, ele me esfaqueou! Socorro!".

Há relatos diferentes sobre a reação dos vizinhos. Algumas pessoas dizem que vários vizinhos escutaram o grito de socorro, mas fecharam as janelas e recusaram-se a ir ajudar Kitty. Segundo testemunhas, Moseley entrou no carro, afastou-se e voltou dez minutos depois.

Moseley encontrou Genovese caída em um saguão nos fundos do prédio, quase inconsciente. Esfaqueou-a repetidas vezes e então a atacou sexualmente. Depois de roubar 49 dólares da bolsa dela, ele fugiu.

Uma vizinha de Kitty a encontrou logo após o ataque e a segurou nos braços até a polícia chegar. Era tarde demais. Kitty Genovese morreu na ambulância várias quadras antes de chegar ao hospital.

Ela foi vítima de um crime hediondo perpetrado por um violento *stalker*.[1]

O Centro Nacional para Vítimas de Crime nos Estados Unidos define *stalking* da seguinte forma: "Na prática, qualquer contato indesejado entre duas pessoas que [...] comunica uma ameaça ou desperta medo na vítima".[2]

O que constitui o *stalking*?

- fazer ameaças (explícitas ou implícitas)
- seguir uma vítima ou esperar por ela
- danificar a propriedade de alguém
- difamar o caráter de outra pessoa
- publicar informação pessoal ou disseminar boatos sobre a vítima
- enviar correspondência ameaçadora (pelo correio ou por *e-mail*)
- violar a privacidade de outra pessoa
- *cyberstalking* ou perseguição virtual
- cometer atos de violência
- perturbação constante[3]

A maioria desses assediadores possui um conhecimento substancial sobre a outra pessoa. Sua intenção é instilar medo e, muitas vezes, ferir fisicamente ou matar a vítima. O *stalking* pode ser ardiloso e velado, ou aberto e atrevido. Pode ser executado pelo assediador ou por alguém agindo em seu nome.

Essa questão me afeta de modo pessoal, porque eu mesmo já fui vítima dessa prática. Anos atrás, um indivíduo começou a perseguir a mim e minha esposa e ameaçar nossa segurança. Cynthia e eu nos sentimos extremamente vulneráveis, sem saber até que ponto deveríamos proteger a nós mesmos e nossa família. Houve outras ocasiões em que membros de minha família foram igualmente assediados. Todas as vezes isso foi extremamente angustiante para todos nós.

Sofrer esse tipo de perseguição pode ser uma experiência relativamente rara para a maioria das pessoas, mas a insegurança advinda de ser vítima de uma ameaça exterior é algo que a maioria de nós já conheceu em algum momento. A impotência e o medo que acompanham essas experiências podem ser debilitantes. Depois de uma ameaça à sua segurança, algumas pessoas enfrentam a síndrome do estresse pós-traumático — como aqueles que experimentaram os horrores da guerra, uma grave intimidação ou abuso. Outras, tendo perdido um companheiro ou filho em uma tragédia, caem em padrões de ansiedade descontrolada ou ataques de pânico depois que todo o seu mundo pareceu desmoronar diante delas.

Mesmo que você nunca tenha sido assediado dessa forma, é provável que já tenha se sentido ameaçado ou inseguro. Os princípios neste capítulo podem ajudar nesses casos também.

Um panorama bíblico do *stalking*

Após um exame rápido da Bíblia, encontrei uma lista relativamente longa de exemplos desse tipo de assédio, a começar do Antigo Testamento:

- A esposa de Potifar assediou José na tentativa de seduzi-lo a um relacionamento sexual (ver Gn 39).
- Os filisteus assediaram Sansão, usando Dalila para capturá-lo (ver Jz 16).
- Os filhos de Eli assediavam as mulheres que iam ao templo adorar, a fim de seduzi-las e atacá-las (ver 1Sm 2).
- Devido ao ciúme e à inveja, o rei Saul assediou Davi durante quase doze anos (ver 1Sm 18—26).
- Depois que Davi se tornou rei, o filho de Davi, Amnom, assediou e estuprou sua meia-irmã Tamar (ver 2Sm 13).
- Jezabel assediou o profeta Elias, ameaçando matá-lo (ver 1Rs 18—19).
- Sambalate, Tobias e Gesém assediaram Neemias enquanto este supervisionava a reconstrução do muro de Jerusalém (ver Ne 4—6).
- Os conselheiros ciumentos de Dario assediaram Daniel, o servo do Senhor, na tentativa de acusá-lo de traição perante o rei (ver Dn 6).

Encontrei vários exemplos no Novo Testamento também:

- Jesus foi assediado constantemente em toda a sua vida terrena. Mesmo quando era bebê, Herodes o assediou (ver Mt 2).
- Quando adulto, Jesus foi assediado pelos fariseus, os saduceus, os escribas e outros oponentes de seu ministério (ver Mt 22; Jo 11).
- Herodias nutria tal rancor contra João Batista que o assediou. Ela mandou a filha executar uma dança sedutora diante de Herodes, o que mais tarde resultou na decapitação de João Batista (ver Mc 6).

- Quando a perseguição se abateu sobre a igreja dos primeiros tempos em Atos, inimigos do evangelho assediaram os cristãos, retirando-os de suas casas em Jerusalém e aprisionando-os em toda a Judeia, Samaria e outras regiões (ver At 8).
- Saulo de Tarso assediou os cristãos em Damasco, conspirando para colocá-los na prisão e fazer com que fossem executados (ver At 9).
- O próprio Saulo foi depois assediado pelos judeus em Damasco, que conspiraram para matá-lo (ver At 9).
- Herodes Agripa assediou e perseguiu os primeiros cristãos, inclusive os apóstolos Tiago e Pedro (ver At 12).
- Paulo e Silas foram assediados pelas autoridades em Filipos e depois amarrados a troncos e chicoteados (ver At 16).
- Paulo escreve: "Alexandre, o artífice que trabalha com cobre, me prejudicou muito [...] [e] se opôs fortemente a tudo que dissemos" (2Tm 4.14-15). As ações dele, sem dúvida, incluíam o assédio a Paulo.
- O líder da igreja Diótrefes se recusava a falar com o apóstolo João, forçando vários crentes a saírem da comunidade, acusando-os e, de modo geral, tornando-lhes a vida miserável. Todo esse comportamento carnal e brutal pode ser considerado assédio (ver 3Jo 1.9-10).
- O anticristo travará guerra contra os crentes e todos aqueles que não o adorarem. Ele os assediará e acabará levando-os à morte (ver Ap 13).

Mas talvez a história bíblica clássica que melhor ilustre o tema do *stalking* seja o relato do profeta Elias, que foi assediado por Jezabel, malvada até os ossos, que era a esposa de Acabe, o rei teimoso de Israel.

O encontro de um homem com o *stalking*

Atualmente em Israel uma esplêndida estátua do profeta Elias se eleva no topo do monte Carmelo, como que vigiando a extensão do vale verde e luxuriante do Jezreel lá embaixo.

O local imortaliza o confronto épico entre o todo-poderoso Deus celestial e os profetas pagãos de Baal. No monte Carmelo, Elias, postando-se na frente e ao centro, invocou o fogo do céu. O céu se abriu, e Deus demonstrou seu poder. Nesse ato, o profeta provou de uma vez por todas que existe apenas uma divindade digna da devoção e adoração humanas: Javé, o Deus todo-poderoso, a quem ele servia.

Em preparação ao acontecimento do monte Carmelo, houve outro encontro entre Elias e o rei Acabe. Deus havia enviado Elias ao rei Acabe para anunciar que uma estiagem devastadora atingiria a terra durante os vários anos seguintes (ver 1Rs 17.1). Logo depois, Deus chamou Elias uma segunda vez para retornar a Acabe e anunciar que Deus mandaria chuva. Acabe não ficou satisfeito e, ao ir se encontrar com o profeta, declarou: "É você mesmo, perturbador de Israel?" (1Rs 18.17).

O rei Acabe não percebeu que Elias não era perturbador, de modo algum. Elias não tinha poder ele próprio para impedir que chovesse. Esse poder pertencia a Deus todo-poderoso.

> "Não causei problema algum a Israel", respondeu Elias. "O senhor e sua família é que são os perturbadores, pois se recusaram a obedecer aos mandamentos do Senhor e, em vez disso, adoraram imagens de Baal. Agora, convoque todo o Israel para encontrar-se comigo no monte Carmelo, além dos 450 profetas de Baal e os 400 profetas de Aserá que comem à mesa de Jezabel."
>
> Acabe convocou todo o povo de Israel e os profetas para se reunirem no monte Carmelo. Elias se colocou diante do povo e

disse: "Até quando ficarão oscilando de um lado para o outro? Se o Senhor é Deus, sigam-no! Mas, se Baal é Deus, então sigam Baal!". O povo, contudo, ficou em silêncio.

1Reis 18.18-21

Elias se preparou para testar se Baal conseguia fazer o que ele sabia que só o Deus celestial era capaz de fazer: derramar fogo do céu e consumir tudo. Então provocou os profetas pagãos a começarem e invocar o nome de seus deuses (1Rs 18.25). Podemos imaginar como Acabe deve ter fervido de raiva ao ver Elias zombar dos profetas pagãos:

Por volta do meio-dia, Elias começou a zombar deles: "Vocês precisam gritar mais alto", dizia ele. "Sem dúvida ele é um deus! Talvez esteja meditando ou ocupado em outro lugar. Ou talvez esteja viajando, ou dormindo, e precise ser acordado!"

Então gritaram mais alto e, como era seu costume, cortaram-se com facas e espadas, até sangrarem. Agitaram-se em transe desde o meio-dia até a hora do sacrifício da tarde, mas não houve sequer um som, nem resposta ou reação alguma.

Então Elias disse ao povo: "Venham aqui!". Todos se reuniram em volta dele enquanto ele consertava o altar do Senhor que havia sido derrubado. Pegou doze pedras, uma para cada tribo dos filhos de Jacó, a quem o Senhor disse: "Teu nome será Israel", e com elas reconstruiu o altar em nome do Senhor. Depois, cavou ao redor do altar uma valeta com capacidade suficiente para doze litros de água. Empilhou lenha sobre o altar, cortou o novilho em pedaços e colocou os pedaços sobre a lenha.

Em seguida, ordenou: "Encham quatro jarras grandes com água e derramem a água sobre o holocausto e a lenha".

Depois que fizeram isso, disse: "Façam a mesma coisa novamente". Quando terminaram, ele disse: "Agora façam o mesmo pela terceira vez". Eles seguiram sua instrução, e a água corria ao redor do altar e encheu a valeta.

Na hora costumeira de oferecer o sacrifício da tarde, o profeta Elias se aproximou do altar e orou: "Ó Senhor, Deus de Abraão, Isaque e Jacó, prova hoje que és Deus em Israel e que sou teu servo. Prova que fiz tudo isso por ordem tua. Ó Senhor, responde-me! Que este povo saiba que tu, ó Senhor, és o verdadeiro Deus e estás buscando o povo de volta para ti!".

No mesmo instante, fogo do Senhor desceu do céu e queimou o novilho, a madeira, as pedras e o chão, e secou até a água da valeta. Quando o povo viu isso, todos se prostraram com o rosto no chão e gritaram: "O Senhor é Deus! Sim, o Senhor é Deus!".

Então Elias ordenou: "Prendam todos os profetas de Baal. Não deixem nenhum escapar!". O povo os prendeu, e Elias os levou para o riacho de Quisom e ali os matou.

1Reis 18.27-40

Depois de ver seu deus tão absolutamente derrotado pelo verdadeiro Deus, Acabe ainda suportou o insulto de descobrir que o verdadeiro Deus pusera fim à estiagem — algo que Baal não pudera fazer.

Em seguida, Elias disse a Acabe: "Vá comer e beber, pois ouço uma forte tempestade chegando".

Acabe foi comer e beber. Elias, porém, subiu ao topo do monte Carmelo, prostrou-se até o chão com o rosto entre os joelhos e orou.

Depois, disse a seu servo: "Vá e olhe na direção do mar".

O servo foi e olhou, depois voltou e disse: "Não vi nada".

Sete vezes Elias mandou que ele fosse e olhasse. Por fim, na sétima vez, o servo lhe disse: "Vi subir do mar uma pequena nuvem, do tamanho da mão de um homem".

Então Elias lhe disse: "Vá depressa dizer a Acabe: 'Apronte seu carro e volte para casa. Se não se apressar, a chuva o impedirá!'".

Em pouco tempo, o céu ficou escuro com nuvens. Um vento forte trouxe uma grande tempestade, e Acabe partiu em sua carruagem a toda velocidade para Jezreel.

1Reis 18.41-45

Humilhado e zangado, Acabe voltou para casa e queixou-se a Jezabel, sua esposa, sobre a horrível experiência no monte Carmelo.

Sempre considerei Jezabel e Acabe a dupla "Bonnie e Clyde" do Antigo Testamento. Eles eram mesmo um casal perverso! Notórios por sua natureza má e depravada, não descansariam até que o mundo estivesse livre de Elias.

Jezabel enviou uma ameaça de morte a Elias: "Que os deuses me castiguem severamente se, até amanhã nesta hora, eu não fizer a você o que você fez aos profetas de Baal!" (1Rs 19.2).

Essas são as palavras ameaçadoras de uma *stalker*.

As Escrituras relatam apenas: "Elias teve medo e fugiu para salvar a vida" (1Rs 19.3). O outrora destemido profeta que havia desafiado os deuses de Baal era agora um fugitivo atemorizado em uma floresta de sonhos esquecidos, assediado por uma adversária vingativa e cruel.

Pare por um instante e coloque-se no lugar de Elias. O que você faria? E se você fosse assediado? E se você se sentisse ameaçado?

Se você tende a reagir cegamente devido ao medo, provavelmente faria o que Elias fez: fugiria. Elias foi vítima da ameaça de Jezabel e reagiu, surpreendentemente, como reagiria alguém sem fé. Que depressa os poderosos podem cair!

O erro ao lidar com uma crise

Furiosa com o constrangimento do marido no monte Carmelo, Jezabel elaborou um plano para eliminar o profeta de Deus.

Em sua reação, Elias cometeu três erros críticos que vale a pena comentar. Esses erros são especialmente instrutivos para aqueles que se se tornaram vítimas de um *stalker*.

1. *Elias se concentrou apenas nas circunstâncias horizontais.*

O medo sempre paralisa nossa fé, tornando-a fraca e ineficaz. Sempre que nos concentramos nas circunstâncias em vez de nas intervenções de Deus, perdemos a contundência. Em meio à ameaça real do assédio, precisamos encontrar um equilíbrio entre tomar medidas de precaução e confiar nossa segurança ao Senhor. É aí que encontramos Elias nessa história. O foco horizontal provocou os seguintes erros de cálculo:

- O medo irracional substituiu a fé confiante.
- O recuo para a anonimidade e segurança substituiu a espera no Senhor.
- Orar para morrer substituiu o apelo ao Senhor.

Melhor teria sido se Elias tivesse orado: "Ó Deus, assim como fizeste o fogo descer sobre o altar e trouxeste o juízo sobre aqueles teus inimigos, detém essa mulher perversa! Impede-a de me ferir". Ao contrário, ele decidiu resolver a questão por conta própria e literalmente fugiu correndo para salvar a vida!

Anos atrás, quando minha esposa Cynthia e eu estávamos sofrendo *stalking*, sentimo-nos intimidados e nossa vida foi abalada. Confesso que enfrentamos aquela ameaça com uma mescla de emoções — raiva, medo, frustração e ansiedade periódica.

Mas também demos passos práticos que eram necessários para proteger a nós mesmos, nossa família e nosso lar. Assim que descobrimos que estávamos sendo assediados, nós nos encontramos com o investigador de Los Angeles que foi designado para nosso caso. A primeira pergunta dele foi:

— Vocês têm sistema de alarme?

Respondemos:

— Não. Vivemos em uma vizinhança tranquila.

A reação dele foi severa:

— Não, isso não tem nada a ver com a vizinhança. Isso tem a ver com um homem.

Não vou revelar os detalhes da ameaça, mas lhes asseguro que a situação ficou feia — e, sem dúvida, foi aterrorizante. Então, diante da insistência do investigador, instalamos um sistema de segurança residencial. Será que isso foi falta de fé? Não creio. Fazia sentido como um passo prático e sensato para nossa proteção.

Você já ouviu aquela frase dita por Oliver Cromwell quando a guerra irrompeu? "Confie em Deus, mas mantenha a pólvora seca." Ótimo equilíbrio! Confiar em Deus não significa que você não deva usar bom senso e dar passos práticos para proteger a si mesmo e aos entes queridos. Uma ameaça é uma ameaça, quer seja um assediador violento, quer um valentão de parquinho infantil. A questão é: leve a sério e use a cabeça!

Entretanto, manter a proverbial pólvora seca não é o mesmo que reagir movido pelo medo irracional. Procuramos em vão nas Escrituras em busca de sinais de que Elias tenha confiado em Deus. Isso é surpreendente, já que se trata do mesmo homem que havia agido com coragem incomum durante a disputa no monte Carmelo. Ao analisar como Elias lidou de modo errado com a situação, quero fazer isso com respeito por ele, mas também sem deixar de aprender com sua reação precipitada.

2. Elias avaliou erradamente a situação.

Tendo corrido por um dia inteiro para escapar de Jezabel, ele finalmente se sentou a sós no deserto para buscar o muito necessário abrigo "debaixo de um pé de giesta", pedindo, em oração, para morrer (1Rs 19.3-4). Em um momento de exaustão e autocomiseração, Elias perdeu contato com a realidade.

> Ele respondeu outra vez: "Tenho servido com zelo ao Senhor, o Deus dos Exércitos. Contudo, os israelitas quebraram a aliança contigo, derrubaram teus altares e mataram todos os teus profetas. Sou o único que restou, e agora também procuram me matar".
>
> 1Reis 19.14

Não é necessário ser psicólogo profissional para ver quão distorcida a perspectiva de Elias se tornara. Deus trouxe o profeta ferido de volta à realidade exortando-o a se levantar e dar um jeito na vida (ver 1Rs 19.15-18)! Ele estava longe de ser "o único que restou"! O Senhor lhe garantiu que preservaria sete mil outros profetas em Israel plenamente capazes de representá-lo. O complexo de mártir de Elias era tanto desnecessário quanto infundado. Ele pode ter se sentido como se fosse o último homem restante, mas o Senhor o lembrou de que havia milhares lhe dando apoio.

O medo e a autocomiseração, como gêmeos siameses, perturbam nosso julgamento e distorcem nossa perspectiva. Sei por experiência pessoal que isso é verdade. Quando estamos sendo ameaçados, a mente pode nos pregar peças. Deus tranquilizou Elias dizendo que permanecia controlando o perigo e oferecia sua presença e proteção pessoais para enfrentá-lo. Como escreve o salmista, Deus está "sempre pronto a nos socorrer" (Sl 46.1).

3. Elias ignorou suas necessidades pessoais.

É de se supor que a provação de Elias tenha resultado em uma depressão bastante profunda ou, pelo menos, em um forte desânimo. Elias começou a se desesperar a ponto de parar de cuidar do bem-estar pessoal. Esse é um perigo comum a todos aqueles que se sentem acossados por uma ameaça tão real quanto a de um assediador.

Não apenas o Senhor estendeu a mão a Elias, em uma notável mostra de compaixão e bondade, como também lhe deu alívio pelo ministério de um anjo, que lhe trouxe alimento, água e até um lugar para que passasse uma boa noite de sono (ver 1Rs 19.5-9).

Você está preparado para uma surpresa? Muitas vezes a melhor cura para o desânimo não é uma noite passada em oração angustiada, mas simplesmente uma boa noite de sono. É uma das atividades mais benéficas e espirituais que você pode praticar. Você acha que precisa orar por mais tempo, pensar ou planejar algo mais inteligente, porque, afinal, é isso o que os verdadeiros cristãos fazem. Mas poucos entendem a importância prática de cuidar bem do corpo e da mente quando estamos sob grande tensão. Às vezes precisamos apenas dar o dia por encerrado, deitar, descansar a mente, fechar os olhos e deixar o esforço para Deus. Há um antigo provérbio grego que cito com frequência: "Você quebrará o arco se o mantiver sempre retesado".

Um dos sinais de alguém que está sofrendo de angústia mental é a diminuição do desejo de cuidar da aparência pessoal. Essas pessoas começam a ficar com aparência desleixada, muitas vezes param de tomar banho e andam por aí parecendo uma cama desarrumada. Os cabelos ficam desgrenhados e o hálito se assemelha a bafo de bode. Param de comer e de se comunicar. Isolam-se e têm dificuldade em se levantar da cama a cada dia. Isso porque o mundo parece estar esmagando-as, e elas sentem certa vergonha dessa situação.

Felizmente, o Senhor entende tudo isso. Considere estas palavras:

> Nosso Sumo Sacerdote entende nossas fraquezas, pois enfrentou as mesmas tentações que nós, mas nunca pecou. Assim, aproximemo-nos com toda confiança do trono da graça, onde receberemos misericórdia e encontraremos graça para nos ajudar quando for preciso.
>
> Hebreus 4.15-16

Em um momento de transparência notável, Jesus confessou uma profunda aflição em decorrência de ser implacavelmente assediado por seus acusadores: "Agora minha alma está angustiada. Acaso devo orar 'Pai, salva-me desta hora'? Mas foi exatamente por esse motivo que eu vim!" (Jo 12.27).

Que maravilhoso saber que mesmo o Senhor, nosso admirável Salvador, experimentou em primeira mão o que você pode estar sentindo hoje como vítima de *stalking* ou objeto de uma ameaça aterrorizante!

Lições aprendidas com a provação de Elias

Infelizmente, o problema do *stalking*, assim como outras ameaças semelhantes que perturbam nossa vida, não vai desaparecer. Enquanto existirem indivíduos com más intenções, haverá vítimas inocentes de seus atos violentos. É como os tornados nos Estados Unidos: enquanto o ar quente subir e encontrar o ar frio e seco em junho, haverá tornados ameaçando a vida dos moradores. Então o que podemos aprender a partir da vida de Elias? Encontro quatro importantes lições que emergem de suas experiências.

1. *Ninguém está imune a ameaças.* Infelizmente, você ou alguém próximo a você pode enfrentar a ameaça de um assediador ou algum outro cenário perigoso. Se isso aconteceu com Elias, pode acontecer com qualquer um! Facilmente podemos nos tornar o rosto na mira de alguém, alvo inocente de más intenções. Ninguém, não importa quão bondoso ou temente a Deus, é imune. Elias não foi o primeiro a ser perseguido, nem o último. Não é sensato pensar que seus inimigos partiram para sempre. Oponentes antigos podem ressurgir, ou novas ameaças podem aparecer. As Jezabels do mundo proliferam. Assediadores ressurgem com frequência. Então mantenha os olhos bem abertos — não deixe que o próximo ataque o pegue desprevenido. Acima de tudo, seja vigilante, tanto na prática quanto espiritualmente.
2. *Ninguém é à prova de balas.* Você não é sobre-humano. Independentemente de sua idade, maturidade ou experiência, você é exatamente como Elias: 100% humano. Você continua precisando descansar. Continua precisando se nutrir. Continua precisando de boa alimentação. Continua precisando ficar alerta. Continua precisando dos outros. Continua precisando da provisão e proteção do Senhor (ver Sl 121). Guarde-se contra sucumbir ao medo e à autopiedade como fez Elias. Resista à tentação de resolver os problemas por conta própria. Cuide de si mesmo e dê ouvidos àqueles que o amam, inclusive os alertas que lhe dão.
3. *Você não está sozinho.* Deus não o criou para andar a sós a vida inteira. Você não é o único capaz de cumprir a tarefa. Deus pode usar outros que sejam talentosos e

competentes, como fez com Elias. Em sua paranoia, você será tentado a acreditar que é o único que pode resolver a questão. Você suporá que detém o monopólio do que é melhor e mais necessário. Deixe-me libertá-lo desse tipo de mentalidade de vítima. Existe apenas um Deus... e não é você. Deus envia indivíduos extraordinariamente generosos e prestativos que o ajudarão a passar pela sua provação com sabedoria e compreensão. Quando enfrentamos nossa situação difícil anos atrás, precisamos de algumas pessoas decididas, valentes a nosso redor. A assistência delas se mostrou valiosa.

4. *Você não está no comando.* Há um plano que nunca vimos. Há um projeto que não requer sua contribuição. Há uma trama que não elaboramos. Há um roteiro que não escrevemos. Tudo é conhecido por nosso Pai celestial soberano. Ele sabe o que está fazendo e não se surpreende quando uma Jezabel (ou pior) se levanta contra nós. Deixe de viver como se estivesse no comando. Você serve a um Deus que não apenas o criou, mas que cuida soberanamente de todas as suas necessidades.

Um pensamento final: Há um inimigo da sua alma que adoraria paralisá-lo com o medo e acabar com você espiritualmente. Para piorar a situação, ele conhece tudo sobre você, inclusive cada brecha em sua armadura. Você não pode enfrentá-lo com as próprias forças.

Pedro escreve estas palavras imprescindíveis:

Estejam atentos! Tomem cuidado com seu grande inimigo, o diabo, que anda como um leão rugindo à sua volta, à procura de alguém para devorar. Permaneçam firmes contra ele e sejam fortes na fé. Lembrem-se de que seus irmãos em Cristo em todo o mundo estão passando pelos mesmos sofrimentos.

1Pedro 5.8-9

Nosso inimigo anda ao redor de nós como um leão buscando uma presa para devorar. A palavra grega traduzida por "devorar" (*katapino*) significa "beber de um só gole". Poderíamos traduzir também como "engolir". Esse é o objetivo de Satanás. Ele não está simplesmente interessado em enervá-lo com determinada ameaça ou causar um pouco de confusão em sua vida. Não, isso seria fácil demais. Ele está determinado a engoli-lo inteiro. Ele o está assediando desde que você entrou para a família de Deus.

No ensaio "As crises de desânimo do ministro", do livro *Lições aos meus alunos*, o saudoso pastor britânico Charles Haddon Spurgeon escreve: "As biografias de ministros eminentes [...] provam que a maioria deles, senão todos, passou por períodos de horrível prostração".[4]

Ele então escreve sobre suas próprias lutas contra o desânimo e a depressão:

> Você não está sozinho. Eu entendo. Melhor ainda, o Senhor entende. Alguns dos dias mais difíceis em minha vida são as segundas-feiras, os dias depois dos domingos, quando experimento grandes elevações emocionais e espirituais. É nesses dias que sinto o diabo me assediar — ele sabe que estou fraco e já vulnerável a um ataque. Quando me lembro de tudo o que desejaria não ter dito. Ou revejo em minha mente o que falei ou gostaria de ter falado de modo diferente. É aí que ele ataca. Permanecer alerta para esses momentos sutis, mas sinistros. Reconhecer a fraqueza nesses momentos me ajuda a resistir a ele com firmeza.

Nos dias em que estava me preparando para escrever sobre esse assunto, recebi uma mensagem de um velho amigo. No *e-mail* que me enviou, ele incluiu as palavras do antigo hino evangélico "Necessitado":

De ti, Jesus, Senhor,
Eu tenho precisão;
Só teu divino amor
Dá paz ao coração.

Ó meu Jesus, comigo
Vem estar agora,
Té que no céu contigo
Eu vá morar.[5]

Ao ler essa mensagem e cantar essas palavras ternas em minha mente, lágrimas me vieram aos olhos. Senti a poderosa e sábia presença do Senhor vir sobre mim e acalmar-me a mente inquieta. Paz e tranquilidade me invadiram. É assim que é a lealdade de nosso Senhor, mesmo em nossos dias mais sombrios, quando a perturbação nos invade.

A mensagem desse hino é verdadeira. É verdadeira para você e é verdadeira para seu cônjuge, filhos e netos. É verdadeira para seu vizinho e o melhor amigo. Todos precisamos dele. Em todas as horas de todos os dias, precisamos dele. Precisamos romper com o hábito de tentar resolver tudo sozinhos. Não há necessidade disso, especialmente em tempos como estes.

Então, se você está sendo assediado ou se sente inseguro ou ameaçado, corra para ele — não corra dele. Corra para ele, e ele será seu Consolador, Protetor, Defensor e Amigo íntimo, aquele que o compreende.

11
E se...
você morresse esta noite?

....

A Palavra de Deus para quando você
está diante da eternidade

Há algo de lúgubre na morte.

Talvez palavras mais agradáveis fossem *misterioso* ou *fascinante*. Se você já esteve no quarto quando alguém morre, sabe que é difícil não se perguntar o que ele ou ela está passando e para onde foi. Em um instante você estava falando, e talvez ele ou ela estivesse respondendo, mas no instante seguinte não há mais nenhum movimento nem respiração. De repente tudo mudou. Agora aquela pessoa está sem vida e imóvel, e mesmo seu corpo começa a parecer diferente na morte.

Eu entrei no quarto menos de uma hora depois que minha mãe morreu. Embora ela estivesse com boa saúde, morreu inesperadamente enquanto tirava uma soneca à tarde. Depois que nosso pai nos chamou, minha irmã e eu fomos rapidamente, então permanecemos juntos no quarto e olhamos para o corpo sem vida de minha mãe. Ela parecia diferente do que era antes. Agora que a morte chegara, a cena parecia surreal.

O mesmo aconteceu novamente quando meu pai morreu, nove anos depois. Ele havia morado comigo, Cynthia e nossos quatro filhos por cerca de quatro anos. Então, adoeceu e teve de ser hospitalizado. Apesar de termos um excelente médico de família para cuidar dele, não tínhamos a menor ideia de que sua morte era iminente. No meio da noite, o médico me chamou e eu retornei ao hospital em questão de minutos. Mas já era tarde demais — meu pai se fora. Beijei-o e disse-lhe pela última vez: "Eu te amo".

Cobri o rosto dele com o lençol e percebi que, pela primeira vez na vida, embora eu também fosse marido e pai, me sentia como um órfão. Não tínhamos como saber que aquele dia seria o último.

Ainda que saibamos que a vida chegará ao fim para todos nós, a maioria de nós tende a afastar os pensamentos sobre a própria morte. Ninguém gosta de refletir sobre esse assunto. É difícil e desagradável demais. Segundo Eurípides, "A morte é uma dívida que todos nós devemos pagar".

John Donne serviu como deão na Catedral de São Paulo, na Inglaterra, no início do século 17. Aqueles eram tempos sombrios, difíceis na Europa, pois a doença e a praga varriam o continente. Foi no coração de Londres que ele pregou fielmente o evangelho.

Donne se acostumou a escutar os sinos da igreja tocando antes dos cultos, e também anunciando funerais. Em 1623, quando estava gravemente doente, ele escutou os sinos dobrando e contemplou a própria mortalidade.

Nessa época, John Donne escreveu *Devoções para ocasiões emergentes*. Nesse comovente texto autobiográfico, essas palavras agora imortais foram publicadas para que todos lessem:

Nenhuma pessoa é uma ilha, isolada em si mesmo; todo ser humano é um pedaço do continente, uma parte do todo; se um torrão de terra for levado até o mar, a Europa ficará menor [...] a morte de qualquer pessoa me diminui, porque sou parte da humanidade; e por isso nunca perguntes por quem os sinos dobram; eles dobram por ti.¹

E se o sino dobrar por você nesta noite mesmo? Como seria a vida após a morte? Você se pergunta isso? Já pensou sobre a eternidade quando enterrou sua mãe ou pai, filho ou filha? Já pensou consigo mesmo: *Para onde eles foram? O que estão fazendo agora? E se tivesse sido eu?*

Para responder à pergunta "E se você morresse esta noite?" você precisa entender o que a Bíblia ensina sobre vida além da morte. Além disso, precisa tomar algumas decisões crucialmente importantes sobre como se preparar para a morte e para a vida após seu último suspiro.

Uma compreensão da vida além da morte

Na morte, há uma separação. A alma invisível e eterna dentro de nós, que constitui nossa personalidade e nossas emoções, separa-se de nosso corpo físico — a parte tangível de carne e sangue, músculo e osso, nervos e tendões em nosso corpo. Enquanto eu observava os corpos sem vida de minha mãe e meu pai, eles não pareciam os pais amorosos que eu conhecera durante toda a minha vida. Por quê? Porque seu espírito havia se separado de seu corpo.

Para entender da melhor forma possível, precisamos refletir sobre a natureza da morte tanto espiritual quanto física. A morte é uma realidade que resulta do pecado. Deus avisou Adão no Jardim do Éden: "Coma à vontade dos frutos de todas as árvores do jardim, exceto da árvore do conhecimento do bem e do mal. Se você comer desse fruto, com certeza morrerá" (Gn 2.16-17). O pecado trouxe a morte física e espiritual à experiência humana.

Toda pessoa está destinada a morrer algum dia. As Escrituras não dão sustentação à doutrina da reincarnação. Morte significa morte — ponto final. É permanente no que concerne ao corpo físico. Então, quando Adão e Eva comeram do fruto proibido, não apenas o pecado chegou e permaneceu, como também a morte se tornou parte de sua existência. Se eles nunca houvessem pecado, nunca teriam morrido. Mas com o pecado veio a morte.

As implicações dessa verdade ressoam no Novo Testamento também:

> E, assim como cada pessoa está destinada a morrer uma só vez, e depois disso vem o julgamento, também Cristo foi oferecido como sacrifício uma só vez para tirar os pecados de muitos.
>
> Hebreus 9.27-28

> Quando Adão pecou, o pecado entrou no mundo, e com ele a morte, que se estendeu a todos, porque todos pecaram.
>
> Romanos 5.12

Você nasceu no pecado. Seus pais eram pecadores. Os pais deles também eram pecadores. Você possui a mesma natureza pecadora. Você e eu somos criaturas pecadoras. Quando Adão pecou, o pecado entrou na humanidade. O pecado de Adão trouxe a morte, então a morte se disseminou a todos, pois todos pecamos. Não há como escapar da certeza da morte física. Independentemente de suas crenças em termos de religião, você precisa abrir espaço para a morte em sua teologia.

Nós somos feitos do que é tangível — o corpo físico. O físico abrange o que podemos tocar. O intangível existe como alma — isto é, nosso espírito. Com a morte, a alma intangível se separa do corpo tangível, e o corpo permanece na terra. É por isso que o cadáver (ou o que resta dele após um ferimento letal) é chamado de "restos" de alguém. A alma é removida e vai embora, e a parte física permanece.

Na maioria das culturas, lida-se com o corpo morto por meio de algum ritual que inclui enterro ou sepultamento. Porém a vida da alma continua. Há uma diferença entre o destino das almas dos crentes e das almas dos não crentes. Essa diferença merece análise bíblica.

O destino dos crentes

A Bíblia ensina que há destinos diferentes para crentes e não crentes. Enquanto estão vivos na terra, o evangelho é apresentado a todos de alguma forma (ver Rm 1.18-23) — a verdade de que Deus enviou seu Filho para morrer pelos pecadores (ver Jo 3.16). Se você escolhe crer nele, você é um crente. Se você escolhe rejeitar a oferta de vida eterna por meio de Cristo, você é um não crente. Se você morrer sem crer, seu destino será diferente do destino de alguém que morre tendo crido. Se você é crente, seu corpo (como o corpo de um não crente) será colocado no túmulo quando você morrer. Mas sua alma terá uma destinação diferente.

Na hora da morte tanto de minha mãe quanto de meu pai, a alma deles se separou do corpo e seguiu para se encontrar com o Senhor (ver 2Co 5.8). Quando um descrente morre, sua alma também se separa do corpo, mas vai para um lugar de tormento, ou inferno (ver Mc 9.43-48).

Nos dias do Antigo Testamento, as almas dos mortos iam para o Hades — uma palavra grega que corresponde ao termo hebraico *Sheol*, ou lugar dos mortos. O *Novo Dicionário Bíblico*

Unger define Hades como "a morada subterrânea de todos os mortos até o Juízo Final. Foi dividido em dois departamentos, paraíso ou seio de Abraão para os bons e Geena ou inferno para os maus".[2]

As almas dos crentes que morreram nos dias do Antigo Testamento foram transportadas ao paraíso, enquanto as almas dos não crentes permaneceram no Hades (ver Lc 16.22-23).

Lembre-se das palavras de Jesus para o ladrão na cruz que creu: "Hoje você estará comigo no paraíso" (Lc 23.43). Jesus extraiu essa expressão das Escrituras hebraicas. Refere-se ao lugar onde as almas dos que haviam morrido — crentes e não crentes — eram conservadas até a hora do juízo.

Os corpos físicos tanto dos crentes quanto dos não crentes permanecem no túmulo após a morte, aguardando a ressurreição (ver 1Co 15.26; 1Ts 4.13-18).

Em última análise, contudo, a Bíblia ensina que haverá um juízo final consciente, chamado de Julgamento do Grande Trono Branco. Nesse evento, ocorrerá a segunda morte ou punição eterna para os não crentes — aqueles que morreram sem Cristo (ver Ap 20.11-15).

A propósito, não há nenhuma mudança de lugar para ninguém após a morte. Não há purgatório. Não é possível transferir alguém do inferno para o céu por meio de orações depois que alguém morreu. O eterno destino depende da decisão importantíssima que se toma em vida e que é irrevogável após a morte. Ou você recebe Cristo ou o rejeita.

Se você morrer em estado de descrença, seu corpo permanecerá sobre a terra ou embaixo da terra, mas a alma será transportada para um lugar de tormento a fim de aguardar o juízo final (ver Lc 16.23-24).

Todavia, se você morresse hoje e houvesse recebido a dádiva

da vida eterna por meio da fé em Cristo, então sua alma seria erguida imediatamente ao céu — o lugar identificado na Bíblia como "o terceiro céu" (2Co 12.1-4; ver também Ef 4.8-10).

Para os crentes de hoje que morrem na fé, a alma parte instantaneamente para se juntar ao Senhor no céu, junto com a de todos aqueles que morreram na fé (ver 2Co 5.8). Gloriosamente, no futuro, todos os crentes que morreram e cuja alma foi para o céu se reunirão a Jesus nas nuvens quando ele voltar para levar consigo todos os crentes que permanecem na terra.

A ocasião da volta de Jesus é chamada de Parúsia, que significa "vinda, chegada", um acontecimento acompanhado pelo Arrebatamento.

Eis como o apóstolo Paulo descreveu esse evento para os cristãos tessalonicenses:

> Pois o Senhor mesmo descerá do céu com um brado de comando, com a voz do arcanjo e com o toque da trombeta de Deus. Primeiro, os mortos em Cristo ressuscitarão. Depois, com eles, nós, os que ainda estivermos vivos, seremos arrebatados nas nuvens ao encontro do Senhor, nos ares.
>
> 1Tessalonicenses 4.16-17

Quando isso ocorrer, minha mãe e meu pai (o corpo deles!) serão retirados do túmulo, e eles serão levados primeiro. E se eu ainda estiver vivo na terra nesse momento, eu me encontrarei com eles em um estado glorioso e serei levado com eles para o céu. Juntos, acompanhados de todos os outros crentes, estaremos com o Senhor para sempre.

Lembro-me de, quando pequeno, ter medo de que, se eu fosse para o céu, algo pudesse acontecer que me impedisse de ficar lá. Felizmente, a Bíblia não dá sustentação a essa ideia. As

Escrituras ensinam que essa realidade é certa e que a existência eterna da alma está assegurada. Uma vez no céu, sempre no céu. E, tristemente, uma vez no inferno, sempre no inferno.

Durante o ministério terreno, Jesus contou uma história que proporciona um vislumbre de como cada uma dessas realidades se parece, tanto a daqueles que morrem na fé quanto a daqueles que morrem na incredulidade.

A história de dois que morreram

Em Lucas 16, Jesus conta uma parábola de dois homens que morreram — um era um homem rico e hipócrita que morreu na incredulidade, e o outro, um mendigo humilde que morreu na fé. O rico acaba no inferno, e o mendigo vai para o céu. A parábola revela espantosas verdades sobre as experiências de pós-morte de ambos. Leia esta passagem com atenção:

> Jesus disse: "Havia um homem rico que se vestia de púrpura e linho fino e vivia sempre cercado de luxos. À sua porta ficava um mendigo coberto de feridas chamado Lázaro. Ele ansiava comer o que caía da mesa do homem rico, e os cachorros vinham lamber suas feridas abertas
>
> "Por fim, o mendigo morreu, e os anjos o levaram para junto de Abraão. O rico também morreu e foi sepultado, e foi para o lugar dos mortos. Ali, em tormento, ele viu Abraão de longe, com Lázaro ao seu lado.
>
> "O rico gritou: 'Pai Abraão, tenha compaixão de mim! Mande Lázaro aqui para que molhe a ponta do dedo em água e refresque minha língua. Estou em agonia nestas chamas!'.
>
> "Abraão, porém, respondeu: 'Filho, lembre-se de que durante a vida você teve tudo que queria e Lázaro não teve coisa alguma. Agora, ele está aqui sendo consolado, e você está em agonia.

Além do mais, há entre nós um grande abismo. Ninguém daqui pode atravessar para o seu lado, e ninguém daí pode atravessar para o nosso'.

"Então o rico disse: 'Por favor, Pai Abraão, pelo menos mande Lázaro à casa de meu pai, pois tenho cinco irmãos e quero avisá-los para que não terminem neste lugar de tormento'.

"'Moisés e os profetas já os avisaram', respondeu Abraão. 'Seus irmãos podem ouvir o que eles disseram.'

"Então o rico disse: 'Não, Pai Abraão! Mas, se alguém dentre os mortos lhes fosse enviado, eles se arrependeriam!'.

"Abraão, porém, disse: 'Se eles não ouvem Moisés e os profetas, não se convencerão, mesmo que alguém ressuscite dos mortos'".

Lucas 16.19-31

Jesus ainda não havia morrido e ressuscitado a essa altura, e a ascensão não havia ainda acontecido, então o contexto dessa parábola estava no cenário do Antigo Testamento. Aqueles que escutaram a história de Jesus teriam tido uma compreensão ligada ao Antigo Testamento. Jesus estava ensinando sobre o destino eterno de não crentes e crentes e contrastando a experiência de ambos.

Um estudo de contrastes

Dois homens morrem. O corpo material deles é enterrado, e a alma imaterial é transportada ao túmulo. Não apenas um é rico e o outro é pobre, mas um é não crente e o outro é crente. Tenha em mente que o destino eterno de cada um não se deveu à riqueza ou falta de riqueza, mas às decisões que tomaram em vida em relação à verdade. O homem rico morreu confiando em seus próprios recursos — suas posses. O homem pobre, Lázaro, que vivia à porta do homem rico, morreu em completa pobreza.

Mas "os anjos o levaram para junto de Abraão" (Lc 16.22). Quando o homem rico morreu e foi sepultado, "foi para o lugar dos mortos" (Lc 16.23). Desse lugar de tormento, o homem rico conseguia, de algum modo, ver o pobre mendigo desfrutando do descanso pacífico ao lado de Abraão. Que contraste!

Uma análise dos tormentos futuros

Quando o homem rico morre, sua alma entra em tormento enquanto o corpo entra no túmulo. Esse parece ser um lugar de intenso calor, pois o homem rico clama do inferno por piedade, pedindo que Lázaro, o homem pobre, seja autorizado a molhar a ponta do dedo em água e refrescar-lhe a língua (ver Lc 16.24). O homem rico explica que o motivo pelo qual está em tal aflição são as chamas — ele está cercado pelo fogo. Imagine! É isso o que marca o lugar de tormento para todos os que morrem na descrença: uma existência interminável e inexorável no fogo. Lá eles sofrem com o calor intenso do fogo sem alívio... pela eternidade.

A resposta de Abraão à súplica do homem rico é espantosa:

> Abraão, porém, respondeu: "Filho, lembre-se de que durante a vida você teve tudo que queria e Lázaro não teve coisa alguma. Agora, ele está aqui sendo consolado, e você está em agonia. Além do mais, há entre nós um grande abismo. Ninguém daqui pode atravessar para o seu lado, e ninguém daí pode atravessar para o nosso".
>
> Lucas 16.25-26

O homem rico tivera todo o necessário durante a vida para garantir a existência eterna com Deus. Ele tinha conhecimento do Senhor — possuía as Escrituras, que incluíam o testemunho dos profetas. Não obstante, escolheu viver com base em seus próprios recursos. Morreu, portanto, na descrença.

Lázaro, por outro lado, mal existiu enquanto vivera na terra. Não tinha nada, mas tinha a fé. Ele deve ter se voltado a Deus e, portanto, encontrou descanso ao lado de Abraão. A história dá o que pensar, pois fala da finalidade da morte em relação a nosso destino eterno.

Este é um bom lugar para identificar as quatro racionalizações comuns usadas por pessoas que insistem em ignorar a verdade e brincar com sua eternidade.

1. *O inferno seria um alívio comparado à vida na terra.* Essa racionalização é impossível de sustentar quando defrontada com a realidade do que a parábola descreve: a de que o inferno, ou o lugar onde a alma dos não crentes existe, é um lugar de tormento perene — um lugar de dor intensa e implacável. Nenhuma angústia na terra pode se comparar ao que está reservado àqueles que se recusam a crer e que morrem confiando nos próprios recursos.

2. *O inferno é uma ficção da imaginação baseada em medos irracionais.* Algumas pessoas racionalizam para se livrar da verdade da eternidade insistindo que não há nada após a morte, que a vida após a morte é uma ideia concebida por tolos que temem a morte e possuem uma imaginação fértil. Nada poderia estar mais distante da verdade. A parábola do homem rico e Lázaro é um relato assustador baseado na realidade, fundado na natureza e no caráter de Deus e sua Palavra. Na parábola, o homem rico suplica a Abraão que envie Lázaro à casa de seu pai na terra para avisar seus entes queridos sobre o que está por vir. Surpreendentemente, o homem rico ainda possui visão, tato, audição, fala, paladar e memória. Ele se aflige pela alma dos membros de sua família.

3. *A companhia de amigos e família será suficiente para me ajudar a suportar seja o que for que se seguir à minha morte.* Ao contrário: uma das realidades inevitáveis do inferno é a ausência de companhia humana. Não haverá o consolo dos amigos nem de membros da família. Como isso se dará está no plano de Deus e permanece um mistério eterno de sua vontade. Mas todos os que sofrem na eternidade sem Cristo sofrerão em uma ampla e devastadora solidão. Os não crentes não só serão separados de Deus como também existirão em angústia e tormento ardente, separados eternamente de todos os que conheceram e amaram na terra.
4. *Haverá um modo de escapar.* Algumas pessoas acreditam que, uma vez que tenham sido enviadas ao inferno, podem ser transferidas para algum lugar mais favorável no céu por meio de orações. Mais uma vez, a história relatada em Lucas 16 refuta essa ideia. Abraão responde descrevendo "um grande abismo" que separa as almas dos não crentes daqueles que creram, não havendo nenhuma forma possível de se atravessar de um lado para o outro (Lc 16.26).

Livrar-se da realidade da eternidade com racionalizações é um exercício fútil e desesperado. Apesar disso, o homem rico tentou subverter o plano eterno.

Uma súplica por aqueles que ainda vivem

Finalmente convencido de sua existência perpétua no lugar de eterna angústia, o homem rico arrisca uma última súplica:

> Então o rico disse: "Por favor, Pai Abraão, pelo menos mande Lázaro à casa de meu pai, pois tenho cinco irmãos e quero avisá-los para que não terminem neste lugar de tormento".
>
> Lucas 16.27-28

Pela primeira vez, o indivíduo na parábola de Jesus sente um ímpeto evangelístico. Experimentando as agonias do inferno, ele fica aflito pelas almas dos membros de sua família ainda vivos na terra. Tendo passado a vida inteira servindo a si mesmo, ele agora está preocupado — desesperadamente preocupado — com os outros. Ele nunca teve tempo para o homem pobre que estava à sua porta, carente, mas agora está angustiado querendo que os irmãos sejam alertados. A propósito, essa compreensão vai contra a tendência de nossa vida narcisista. Todos os nossos pensamentos egoístas mudam na eternidade.

Como o homem rico descobriu, assim que os sinos dobram, seu destino eterno é selado. Essa verdade ressoa dentro de mim com referência à importância e valor eterno da Palavra de Deus. O que é mais importante do que aceitar suas afirmações e crer no que é revelado? O homem rico de Lucas 16 responderia enfaticamente: "Nada!".

Não há como convencer um indivíduo dessas verdades se ele ou ela não é abrandado primeiro pela Palavra de Deus (ver Rm 10.17). O estudioso do Novo Testamento, Dr. Darrell Bock, afirma esse princípio soberbamente em seu comentário sobre o Evangelho de Lucas:

> O homem rico não desiste. Ele sugere que se tente enviar um aviso. Parece argumentar que a Palavra de Deus não é suficiente, mas que uma mensagem dos mortos seria convincente. A réplica é igualmente clara: a revelação é melhor do que um aviso [...]. Se a Palavra profética de Deus não consegue convencer e quebrar um coração endurecido, milagres também não o farão [...]. Só um coração aberto vê a prova da presença de Deus e ouve sua voz.[3]

Mesmo contra o testemunho das Escrituras, o coração endurecido simplesmente encontrará outra razão para justificar a descrença. Entretanto, essa história é um testemunho assustador de certos perigos da descrença. É extremamente grave. Se as pessoas se recusam a escutar as palavras das Sagradas Escrituras e nelas crer, tampouco serão persuadidas por uma aparição milagrosa ou sobrenatural. O testemunho da Palavra é suficiente para a vida e a eternidade. Ponto final.

Há pelo menos três lições para todos nós nessa história profunda.

1. A Palavra escrita de Deus é a prova mais importante que alguém na terra pode examinar.

Fenômenos sobrenaturais, milagres, sonhos, visões, aparições angélicas e tudo o que é espetacular nunca será mais convincente do que a Palavra de Deus escrita. Uma das maiores dádivas que você pode dar a um amigo não crente é um exemplar da Bíblia. Dê-lhe um volume do Evangelho de João, talvez na forma de um simples folheto ou livreto. Qualquer coisa que lhe chame atenção para a Palavra de Deus escrita o colocará em contato com a verdade que tem o poder de transformar-lhe a alma e livrá-lo da escuridão espiritual.

Ouvi centenas de histórias em meus anos de ministério sobre pessoas que chegaram ao fundo do poço e acabaram sendo resgatadas pela verdade das páginas da Bíblia.

2. A Palavra de Deus escrita é a informação mais convincente para nos preparar para a vida após a morte.

Sua alma vive eternamente após a morte. E, dependendo de como você responde aos chamados de Cristo, viverá eternamente com ele em êxtase absoluto ou viverá sem ele em uma miséria e angústia opressivas. A Bíblia nos prepara para o que está além do túmulo. Nenhum manual de medicina, conferência sobre espiritualidade ou série de palestras sobre experiências extracorporais poderá ajudá-lo a atravessar o abismo entre céu e inferno. Só a Palavra de Deus pode fazer isso, revelando-lhe a pessoa e obra de Jesus Cristo. Só ele é a ponte que atravessa esse abismo.

Ver ou vivenciar milagres não é suficientemente convincente. Isso não desperta o arrependimento pelo pecado. É preciso o poder da Palavra de Deus escrita para penetrar no duro e resistente coração humano. Tenho visto isso acontecer. Tenho visto o pecador mais recalcitrante ser levado às lágrimas de arrependimento pela proclamação da Palavra. É algo maravilhoso de se ver. É por isso que a igreja em que sirvo continua intensamente empenhada na exposição da Palavra de Deus. Nada é mais convincente do que as palavras das Escrituras quando são explicadas e aplicadas.

3. *A pessoa que ignora a Palavra de Deus em vida será rejeitada pelo Deus da Palavra na eternidade.*

O homem rico em Lucas 16 aprendeu essa verdade, embora tarde demais. É por isso que a Palavra de Deus continua a ser o divisor de águas em todas as gerações. A Palavra estará sob o ataque de escarnecedores e céticos em todas as futuras gerações. A Palavra será diluída por aqueles que sentem a necessidade de distorcer a verdade para se encaixar às sensibilidades culturais. A Palavra será ignorada e deixada de lado. Algumas pessoas tentarão se livrar dela por meio de racionalizações. A Palavra será ridicularizada e totalmente desprezada. Nada disso importa. A morte vem para todos nós. Mais cedo ou mais tarde, enfrentaremos aquele momento fatal quando damos o último suspiro. O sino dobra para nós... e nossa vida na terra se encerra. Se rejeitamos as verdades das Escrituras ao longo da vida, então Deus não tem escolha além de nos rejeitar na eternidade (ver Mt 7.21-23; Rm 6.23). Esse é um pensamento preocupante, mas é a verdade.

Seu último dia pode chegar mais cedo do que você pensa. Talvez você não viva para ver o ano-novo raiar. Talvez não viva sequer para ver o sol nascer amanhã. Ninguém sabe. Anos atrás, nosso médico de família não sabia que meu pai morreria naquela noite. O médico de minha mãe achou que ela viveria ainda muitos anos com boa saúde, mas naquela tarde ela se foi. Isso pode acontecer com você também. Não estou tentando ser dramático; estou só lhe apontando que é assim que acontece.

No fascinante livro *Davi e Golias: A arte de enfrentar gigantes*, Malcolm Gladwell nos conta a história verídica da morte trágica de uma jovem:

> Em um fim de semana em junho de 1992, [Kimber Reynolds] voltou para casa do colégio a fim de ir a um casamento [...]. A casa dela era em Fresno, várias horas ao norte, no Vale Central, na Califórnia. Depois do casamento, ela ficou lá para jantar com um velho amigo, Greg Calderon [...]. Jantaram no restaurante Daily Planet, no Tower District de Fresno. Depois do café, caminharam de volta até o carro dela, um Isuzu.
>
> Eram 22h41. Reynolds abriu a porta do passageiro para Calderon, então deu a volta no carro até o lado do motorista. Nesse momento, dois rapazes em uma motocicleta Kawasaki roubada se aproximaram devagar, vindos do estacionamento vizinho. Usavam capacetes com visores escuros. O motorista, Joe Davis, tinha uma longa lista de condenações por porte de drogas e armas. Havia acabado de ser solto em condicional depois de cumprir pena por roubo de automóvel na prisão estatal de Wasco.

Na garupa da motocicleta estava Douglas Walker. Walker já tivera sete passagens pela prisão. Ambos os homens eram viciados em metanfetamina [...].

Walker e Davis pararam ao lado do Isuzu, usando o peso da motocicleta para comprimir Reynolds contra o carro. Calderon saltou do banco do passageiro e correu em direção à traseira do carro.

Walker bloqueou-lhe o caminho. Davis agarrou a bolsa de Reynolds. Sacou uma pistola Magnum .357 e encostou-a na orelha direita dela. Ela resistiu. Ele atirou.

Davis e Walker saltaram de volta à motocicleta e passaram acelerados por um farol vermelho. Muita gente veio correndo do Daily Planet. Alguém tentou estancar o sangramento. Calderon voltou de carro à casa dos pais de Reynolds, mas não conseguiu acordá-los. Telefonou, mas a chamada caiu na secretária eletrônica. Finalmente, às duas e meia da madrugada, alguém atendeu. Mike Reynolds escutou a esposa gritar: "Na cabeça! Ela foi baleada na cabeça!". Kimber morreu no dia seguinte.[4]

Em um instante, Kimber Reynolds se foi. Seu corpo tombou em uma rua escura. Sua alma entrou imediatamente na eternidade.

Isso pode acontecer com você esta noite, ou amanhã. Simplesmente não sabemos quando os sinos dobrarão por nós. Mas o que sabemos é a verdade concernente à vida após a morte.

Agora que você foi colocado diante das declarações das Escrituras, não é o momento de racionalizar. Você não terá a oportunidade de se arrepender e crer uma vez que dê o último suspiro. Naquele momento, as oportunidades se encerrarão. A angústia começará.

Se você estiver lendo este capítulo final e perceber que nunca entregou a vida a Cristo, agora é sua oportunidade. Volte-se para ele já. Apele para ele em fé e receberá a dádiva da vida eterna. Quando o fizer, terá a garantia do céu depois que morrer.

Se você morrer esta noite, tenha a certeza de que, se entregou a vida a Cristo, estará com o Senhor. Se não tem certeza de como entregar a vida a Cristo, recomendo que faça a oração ao final deste capítulo. Jamais se arrependerá. Ele será fiel até o fim.

"Creia no Senhor Jesus, e você e sua família serão salvos" (At 16.31).

Chorei nos funerais de meus pais, mas me alegrei muitas vezes desde então, sabendo que eles estão em seu lar eterno com o Senhor. Que alegria saber que eles aguardam a gloriosa ressurreição de seus corpos! Essa alegria pode ser sua também hoje. Por que esperar?

> Querido Pai, tenho muitas perguntas, mas há duas coisas que entendo: sou um pecador e vou morrer. Quero receber teu Filho, Jesus Cristo, em minha vida como meu Salvador e Senhor. Por favor, perdoa todos os meus pecados. Creio que Jesus é o Cristo, Filho do Deus vivo. Agradeço-te pela disposição dele de entrar em minha vida. Recebo-o agora. Em teu inigualável nome, amém.

Guia de discussão

Capítulo 1

1. Você acredita que Deus escolhe pessoas para realizar feitos importantes? Por que sim ou por que não?
2. Por que, em sua opinião, as pessoas tendem a resistir ao chamado de Deus na vida delas? Você já hesitou em aceitar os planos de Deus para sua vida?
3. De que formas você pode abrir sua vida ao chamado e aos propósitos de Deus para você?

Capítulo 2

1. Em que aspectos você se identifica com a perda e desolação de Jó?
2. Cite algumas das perdas que você sofreu na vida. Que emoções essas perdas evocaram?
3. Você acha que o bem pode resultar de períodos de perda? Que lições podemos aprender sobre Deus e nós mesmos quando enfrentamos tempos de adversidade?

Capítulo 3

1. Descreva uma época em que você sofreu uma traição. Como isso levou você a questionar sua fé?
2. Reserve um momento para refletir sobre a traição de que

Jesus foi vítima. Como a experiência dele nos ajuda quando nos sentimos traídos por um amigo?
3. Você já conseguiu perdoar as pessoas que o traíram? Se conseguiu, como foi capaz de fazer isso? Se não, o que acha que o deteve?

Capítulo 4

1. Por que, em sua opinião, a maioria das pessoas evita chamar outras à responsabilidade? Quais são os aspectos negativos de evitar seguidamente interpelar as pessoas?
2. Você já teve um relacionamento restabelecido em decorrência de uma interpelação feita em amor? Em caso afirmativo, o que aconteceu?
3. Por que, em sua opinião, a Bíblia nos orienta a falar a verdade aos outros em amor?

Capítulo 5

1. Descreva um momento em que alguém o chutou quando você estava caído. Por que essa experiência foi tão penosa?
2. Que encorajamento encontramos na Palavra de Deus sobre encontrar a cura em Cristo?
3. Como você encorajaria alguém que foi profundamente ferido a buscar a cura com o Senhor?

Capítulo 6

1. Por que tendemos a ter uma visão tão negativa do fracasso? Como a ênfase de nossa cultura no sucesso reforça essa perspectiva?

2. Como a história sobre João Marcos afeta sua visão sobre oferecer a alguém uma segunda chance?
3. Leia Lamentações 3.23-24. Como esse lembrete da fidelidade de Deus nos encoraja quando fracassamos?

Capítulo 7

1. Em que aspectos você se identifica com a luta de Paulo contra o espinho na carne?
2. Você já conheceu alguém que confiava em Deus de um modo profundo, apesar de limitações físicas ou emocionais?
3. Por que, em sua opinião, Deus permite deficiências físicas e outras limitações em nossa vida?

Capítulo 8

1. Por que, em sua opinião, Deus permite pessoas difíceis em nossa vida?
2. Quando você se defronta com uma pessoa difícil, como tende a lidar com a situação? Seu primeiro instinto é recorrer a Deus ou resolver os problemas por conta própria?
3. Que papel a oração pode desempenhar quando estamos lidando com um encrenqueiro?

Capítulo 9

1. Segundo 1Pedro 2, qual é o princípio guia para os cristãos no local de trabalho? Como devemos reagir àqueles que detêm autoridade sobre nós?
2. Como o fato de nos vermos como servos nos ajuda quando enfrentamos um patrão injusto ou desrespeitoso?

3. Como o chamado de Cristo para segui-lo contribui para lidarmos com situações difíceis no local de trabalho?

Capítulo 10

1. Quando você está se sentindo ameaçado ou com medo, a quem costuma recorrer em busca de coragem e estabilidade?
2. Cite algumas promessas da Palavra de Deus que oferecem consolo e ânimo quando nos sentimos ameaçados.
3. Como nossa fé nos ajuda quando a vida dá uma reviravolta assustadora?

Capítulo 11

1. Por que, em sua opinião, a maioria das pessoas resiste a falar sobre a vida após a morte?
2. Pense em uma ocasião em que você (ou alguém que você conhece) teve de lutar com questões relativas ao fim da vida. Quais foram essas questões? Quais foram seus medos?
3. Se você encontrasse alguém que está lutando contra o medo da morte, como encorajaria essa pessoa a aceitar a oferta de salvação em Cristo?

Notas

Capítulo 1
[1] Richard H. Schmidt, *God Seekers: Twenty Centuries of Christian Spiritualities* (Grand Rapids, MI: Eerdmans, 2008), p. 268.

Capítulo 2
[1] Philip Yancey, *Decepcionado com Deus: Três perguntas que ninguém ousa fazer* (São Paulo: Mundo Cristão, 1997), p. 170-171.
[2] T. S. Eliot, "The Modern Dilemma", *Christian Register*, 19 de outubro de 1933, citado em Yancey, *Decepcionado com Deus*, p. 171.
[3] F. B. Meyer, *David: Shepherd, Psalmist, King* (Fort Washington, PA: Christian Literature Crusade, 1977), p. 195.
[4] Corrie ten Boom, *The Hiding Place* (Grand Rapids, MI: Chosen Books, 1984), p. 227. [No Brasil, *O refúgio secreto*. Curitiba: Publicações Pão Diário, 2016.]

Capítulo 4
[1] Alexander Whyte, *The Old Testament*, vol. 1, Bible Characters (Grand Rapids, MI: Zondervan, 1952).
[2] Ibid., p. 245.

Capítulo 5
[1] F. B. Meyer, *Christ in Isaiah* (Fort Washington, PA: Christian Literature Crusade, 1977), p. 9-10.
[2] J. Oswald Sanders, *Spiritual Leadership: Principles of Excellence for Every Believer* (Chicago: Moody, 2007), p. 158. [No Brasil, *Liderança espiritual*. São Paulo: Mundo Cristão, 1987.]
[3] Ibid.
[4] Helmut Thielicke, *Encounter with Spurgeon* (Philadelphia: Fortress, 1963), p. 14.
[5] David Roper, *A Burden Shared: Encouragement for Those Who Lead* (Grand Rapids, MI: Discovery House, 1991), p. 58-59.
[6] Ibid.
[7] "Fonte de consolação", hino 366 do *Cantor Cristão*, letra de Thomas Moore, música de Samuel Webbe, 1831. Adaptado em português por Manuel Avelino de Souza.

Capítulo 6

[1] Paul David Tripp, *Dangerous Calling: Confronting the Unique Challenges of Pastoral Ministry* (Wheaton, IL: Crossway, 2012), p. 17.
[2] Crisóstomo, citado em William Barclay, *The Acts of the Apostles*, ed. rev., Daily Bible Study series (Philadelphia: Westminster Press, 1976), p. 101.
[3] Leslie B. Flynn, *When the Saints Come Storming In* (Wheaton, IL: Victor Books, 1988), p. 64-65.
[4] John Pollock, *The Apostle: A Life of Paul* (Wheaton, IL: Victor Books, 1985), p. 116. [No Brasil, *O Apóstolo*. São Paulo: Vida, 1990.]
[5] Leslie B. Flynn, *Great Church Fights* (Wheaton, IL: Victor Books, 1976), p. 40.

Capítulo 7

[1] Joni Eareckson Tada, *A Place of Healing: Wrestling with the Mysteries of Suffering, Pain, and God's Sovereignty* (Colorado Springs: David C. Cook, 2010), 103. [No Brasil, *Um lugar de cura: Encontrando Deus nos momentos de dor*. Rio de Janeiro: Thomas Nelson Brasil, 2016.]
[2] William Barclay, *The Letters to the Corinthians*, ed. rev., Daily Bible Study series (Philadelphia: Westminster Press, 1975), p. 257-59.

Capítulo 8

[1] J. Oswald Sanders, *Spiritual Leadership: Principles of Excellence for Every Believer* (Chicago: Moody, 2007), p. 115. [No Brasil, *Liderança espiritual*. São Paulo: Mundo Cristão, 1987.]
[2] Thomas Brooks, citado em Leslie B. Flynn, *When the Saints Come Storming In* (Wheaton, IL: Victor Books, 1988), p. 21.
[3] A. T. Robertson, *Word Pictures in the New Testament*, vol. 6 (Nashville: Holman Reference, 2000), p. 263.

Capítulo 9

[1] Doug Sherman e William Hendricks, *Your Work Matters to God* (Colorado Springs: NavPress, 1987), p. 7.
[2] Dorothy L. Sayers, "Why Work?", citado em Sherman e Hendricks, *Your Work Matters to God*, p. 20.

Capítulo 10

[1] Corey Kilgannon, "Queens Neighborhood Still Haunted by Kitty Genovese's Murder", *New York Times*, 6 de abril de 2016, <https://www.nytimes.com/2016/04/07/nyregion/queens-neighborhood-still-haunted-by-kitty-genoveses-murder.html>.

[2] Office for Victims of Crime, "Stalking Victimization", fevereiro de 2002, <https://www.ncjrs.gov/ovc_archives/reports/help_series/pdftxt/stalkingvictimization.txt>.

[3] National Institute of Justice, "Stalking", 25 de outubro de 2007, <https://www.nij.gov/topics/crime/stalking/pages/welcome.aspx>.

[4] Charles H. Spurgeon, *Lectures to My Students* (Peabody, MA: Hendrickson, 2010), p. 154. [No Brasil, *Lições aos meus alunos*, 3 vols. São Paulo: PES, 2016.]

[5] "Necessitado", hino 294 do *Cantor Cristão*, letra de Annie Sherwood Hawks, música de Robert Lowry, 1831. Adaptado em português por Alexander Latimer Blackford.

Capítulo 11

[1] John Donne, *Devotions upon Emergent Occasions* (1624).

[2] Merrill F. Unger, *The New Unger's Bible Dictionary*, ed. R. K. Harrison, Howard F. Vos e Cyril J. Barber (Chicago: Moody, 2006), p. 512. [No Brasil, *Dicionário Bíblico Unger*. Barueri, SP: Sociedade Bíblica do Brasil, 2017.]

[3] Darrell L. Bock, Luke, vol. 2, *Baker Exegetical Commentary on the New Testament* (Grand Rapids, MI: Baker, 1996), p. 277-278.

[4] Malcolm Gladwell, *David and Goliath: Underdogs, Misfits, and the Art of Battling Giants* (Nova York: Little, Brown, 2013), p. 232-233. [No Brasil, *Davi e Golias: A arte de enfrentar gigantes*. Rio de Janeiro: Sextante, 2013.]

Compartilhe suas impressões de leitura,
mencionando o título da obra, pelo e-mail
opiniao-do-leitor@mundocristao.com.br
ou por nossas redes sociais

Esta obra foi composta com tipografia Palatino
e impressa em papel Pólen Natural 70 g/m² na gráfica Imprensa da Fé